KT-377-942

맞아죽을 각오를 하고 쓴

한국 · 한국인 비판

맞아죽을 각오를 하고 쓴

한국 · 한국인 비판

이케하라 마모루 지음

중앙 M&B

프롤로그

책을 내면서

내가 이렇게 한국 땅에서 한국 말로 책을 내게 될 줄은 꿈에도 몰랐다. 물론 하고 싶은 말이야 이루 헤아릴 수 없이 많지만, 그 이야기를 책에 담아 한국 국민 앞에 내밀 자격이 나한테 있는지 모르겠다.

사실 아주 우연한 일이 연달아 일어나면서 여기까지 오게 되었는데, 아직도 잘 하는 일인지 판단이 서지 않는다. 그 우연한 일의 경위는 대략 이러하다.

일전에 한 시사 월간지 기자를 만나 한국의 환경 문제에 대해 이야기를 나눌 기회가 있었다. 그 기자는 내 이야기에 아주 깊은 관심을 보이면서 기사로 써 보는 것이 어떻겠느냐고 제안해 왔다. 나로서는 전부터 꼭 하고 싶은 환경 이야기였으니만큼 거절할 이유가 없었다.

그런데 정작 글을 쓰다 보니 처음에 의도한 환경 문제는 뒷전으로 밀리고 주로 한국 사람들이 일상 생활에서 보여 준 모습을 비판하는 이야기가 부각되었다. 그래서 아예 기사 제목도 '나라는 무법 천지, 국민은 염치가 없다'로 되어 버린 것이다.

그 기사가 나가고 난 후 KBS에서 취재를 하고 싶다는 연락이 왔다. 결국 내 이야기는 일요일 저녁 황금 시간에 방송되는 「일요 스페셜」이라는 프로그램에서 '나밖에 모르는 한국인' 이라는 제목으로 전파를 타기에 이르렀다.

이 두 가지 '사건' 이 터진 다음 나는 한동안 정신을 차릴 수가 없었다. 엄청나게 많은 분이 나하고 이야기하고 싶다며 연락을 해 왔기 때문이다. 그 중에는 내 이야기에 공감하고 격려해 준 분도 많았지만, 더러는 오해하거나 불쾌하게 생각한 분도 없지 않았다.

그제서야 나는 퍼뜩 정신이 들었다. 자칫하면 '정말로 맞아 죽을지도 모른다' 는 생각이 떠오른 것이다. 아울러 처음부터 입 다물고 가만히 있었으면 모르지만 이왕 말을 꺼냈으니 적어도 내 뜻을 오해하는 사람이 있어서는 안 되겠다는 생각도 들었다.

그래서 이 문제를 책으로 만들어 보자는 제의가 들어왔을 때 두말 않고 승낙했다. 아무래도 잡지나 방송에서는 시간과 지면의 제약 때문에 내가 하고 싶은 이야기를 충분히 전달하지 못했기 때문이다.

그런데 막상 이렇게 일을 벌여 놓고 보니 책에는 잡지나 방송하고는 또 다른 특성으로 그 나름의 어려움이 있다는 사실을 깨닫게 되었다. 평소 한국 사람들에 대해 보고 듣고 느낀 점을 그대로 털어놓을 수 있을지 선뜻 자신이 서지 않는 것이다.

26년이나 한국에서 살았다고 하지만 나는 어차피 일본 사람일 수밖에 없다. 그런 내가 한국에 대해 이런저런 이야기를 한다는 것 자체가 한일 관계를 생각하지 않고서는 할 수 없는 일이다. 그런데 이 한일 관계라는 것이 대단히 어렵고도 민감한 문제라서 서로의 참모습을 보지 못한 채 전혀 엉뚱한 이야기만 늘어놓고 말기 일쑤다.

한국과 일본이라는 나라는 나란히 이웃해 있으면서 끊임없이 영향을 주고받기도 하고 비교와 견제 대상이 되기도 한다. 일본은 이런데 한국은 저렇다, 그것은 일본이기 때문에 그렇다, 한국도 이런 면에서는 좋은 점이 있다는 식의 이야기가 사실 얼마나 많은가.

가난한 사람이 부자를 만나면 괜히 기가 죽는 것 같기도 하고 한편으로는 슬그머니 오기도 생기게 마련이다. 그 두 나라가 멀리 떨어져 있으면 그나마 부딪칠 일이 없을 텐데 하필이면 바로 코앞에 이웃해 있는 까닭에 갈등의 소지는 더 커진다.

자칫 잘못하면 한국 사람에게는 내 말이 '잘난 체하는' 것으로 들릴 수도 있다. 그러나 일본이든 한국이든 사람 사는 곳이면 어디나 착한 사람 나쁜 사람이 있고, 사기꾼 살인자도 있으며, 뇌물을 받고 부정 축재하는 사람도 있다.

때문에 일본은 이런데 한국은 왜 이러냐는 식의 논의는 전혀 필요 없다. 단지 한국이 올바른 길을 가기 위해서는 무엇을 어떻게 하면 좋을까만 생각하면 된다.

개인적으로 한국 친구들을 만나서 이런저런 이야기를 하다 보면 곧잘 "일본에서는 어떤가?" 하는 질문을 받는다. 그럴 때마다 나는 "그걸 왜 묻느냐?"고 반문한다. 남이야 어떻든 사람이 똑바로 살아가는 길은 한 가지기 때문이다.

그런 이유로 독자 여러분에게 우선 내가 일본 사람이라는 사실을 잊어버리고 있는 그대로 이 글을 읽어 달라고 당부드리고 싶다. 물론 어쩔 수 없이 일본의 사례가 자주 거론되겠지만, 어디까지나 말 그대로 '사례' 일 뿐 결코 한국과 일본을 비교하자는 의도가 아니라는 점을 양해해 주시면 고맙겠다.

또 한 가지 미리 밝혀 두고 싶은 것은 이 글에 나 자신의 독단과 편견이 상당 부분 포함되어 있을지도 모른다는 점이다. 나는 현상을 과학적으로 분석하는 훈련을 받은 학자가 아니라 현실을 있는 그대로 보고 느끼는 생활인에 지나지 않기 때문이다.

게다가 나는 일본 사람 중에서도 대단히 괴팍한 축에 속한다. 따라서 이제부터 내가 풀어 놓는 이야기가 일본이라는 한 나라의 생각을 대변하는 것이 아님은 물론이거니와 일본 사람 대부분이 나와 사고 방식이 비슷할 것이라는 생각도 하지 말아 주었으면 좋겠다.

때로는 엉뚱한 사람의 독단과 편견도 진실에 다가서는 데 도움이 될 수 있다. 아무튼 이 책을 읽는 한국의 독자 여러분이 다시 한 번 스스로의 모습을 돌아보는 조그만 계기가 되었으면 하는 게 내 바람이다.

끝으로 형편없는 원고로 좋은 책을 만들기 위해 많은 곤욕을 치렀을 중앙 M&B 직원 여러분에게 진심으로 고마운 마음을 전한다.

1998년 12월
이케하라 마모루
池原衛

차 례

프롤로그 5

1장 염치없는 한국인들

경제는 1만 달러, 의식은 1백 달러 19
온상 속에서만 자라는 '떡잎' 25
"내 앞에 가는 꼴 절대 못 봐" 31
입으로만 찾는 의리 36
새벽을 열지 못하는 장닭 41
망나니로 키우는 가정교육 51
그 작은 나사못 하나 57
박세리와 박찬호 63
길이 막혀서…… 70
한 번 쥐면 절대 안놓지, 마이크 76

2장 무법천지 아, 대한민국

'이상한 나라' 한국 — 85

한국 골퍼는 출입 금지 — 89

선천성 질서의식 결핍증? — 93

재수 없어 걸린 사람들 — 98

총알 택시의 악몽 — 103

아파트의 새벽 방송 — 108

총체적 무질서 아, 대한민국 — 112

교통 법규부터 지키시오, 아멘 — 118

'폭탄주'의 나라 — 123

3장 맞아죽을 각오로 쓴 한국·한국인 비판

전과자가 떵떵거리는 나라? 131
선천성 과대망상 증후군 136
IMF— 마침내 올 것이 왔다 142
누가 철야하라고 했나? 150
바가지와 '웰컴 투 코리아' 154
다이옥신 소동 158
공해에도 순서가 있다 164
님비와 남비 170
한국 기자는 모두 애국자(?) 177

4장 한국의 미래는 과연 있는가

부실공사 추방 원년 185
차라리 독도를 폭파해 버리자 189
'혼네'와 '다테마에' 사이 194
머리가 너무 좋아 탈이야 201
대한민국 훈장 207
30년 뒤에 수입해도 늦지 않다 213
일본 방송인지, 한국 방송인지…… 217
한국과 일본은 100년 차이? 224
국민의 정부에 바라는 4가지 228
그래도 한국의 미래가 밝은 이유 232

에필로그 239
추천의 글 250

1

염치없는 한국인들

경제는 1만 달러, 의식은 1백 달러

잘못을 저지른 사람을 대충 봐주는 것은 결코 인정이 아니다. 그렇게 봐주면 그 사람은 아, 대충 해도 그냥 넘어가는구나 생각하고 점점 더 큰 잘못을 저지르게 된다. 그것이야말로 멀쩡한 사람이 파멸의 길로 치닫는 지름길이다.

지난 여름 수해로 온 나라에 난리가 났을 때 방송국에서는 너도나도 앞다투어 수재민 돕기 성금을 모금했다. ARS라 해서 그 번호로 전화를 걸면 이쪽 전화요금에서 1천 원씩 공제된다고 했다. 방송국에선 화면 하단에 성금 액수를 표시했는데 불과 며칠 만에 몇억 원을 돌파했다. 참으로 놀라운 일이다. 그 어느 나라 국민이 어려운 이웃을 돕는 데 이토록 적극적이겠는가? 잘사는 부유층이 단번에 거금을 쾌척하는 것과 서민층이 마음을 모아 십시일반으로 1천 원, 2천 원씩 돈을 내는 것은 아주 다른 문제다.

이런 걸 보면 한국 사람들이 '인정'이 많은 것은 사실이다. 그러나 인정 많은 것이 언제나 좋기만 한 것은 아니다. 경우에 따라서는 인정 많은 사람이 바보가 되기도 한다. 자기 혼자 바보가 되는 것은 괜찮다. 하지만 그로 인해 상대방에게 피해를 주는 결과를 가져온다면 차라리 '잔인한 놈' 소리를 듣는 게 낫다.

한국에 온 지 얼마 되지 않은 초창기 시절 나는 한국 말도 할 줄 몰랐고 지금처럼 아는 사람도 많지 않았다. 그런 나를 도와 주는 한국 사람이 하나 생겼다. 나는 별 생각 없이 일본에서 가지고 온 5억 엔을 그 사람에게 맡겼다. 지금도 5억 엔이라면 적은 돈이 아니지만, 당시 한국에서는 엄청난 거금이었다.

결과를 말하자면 나는 그 사람에게 사기를 당했다. 내 돈을 가지고 도망가 버린 것이다. 그때 내가 얼마나 땅을 치고 후회했는지 모른다. 돈을 잃어서 그런 것이 아니다. 나의 부주의가 멀쩡한 사람을 사기꾼으로 만들어 버렸기 때문이다.

당장 먹을 것이 없어서 배가 고픈 사람 앞에 지갑을 놓아 두었다면 그 지갑을 집어 간 사람이 나쁜가, 거기에 놓아 둔 사람이 나쁜가. 백 번 천 번 놓아 둔 사람이 나쁘다.

나중에 소문을 들으니 내 돈을 가져간 사람은 그 후 완전히 직업적인 사기꾼이 되었다고 한다. 감옥에 들락거리기도 하고, 마약에 중독되었다는 소문도 들렸다. 글쎄, 내가 사람을 잘못 봤는지는 모르지만 그 전까지만 해도 그는 그런 사람이 아니었다. 지금도 나는 그 사람을 생각하면 미안한 마음을 금할 수 없다. 진심이다. 나는 그때 돈을 잃었지만 그는 인생을 잃었다. 그렇게 되도록 그 사람이 자기 인생을 망가뜨리는 데 일조한 셈이 되고 말았다.

한국 사람들은 대체로 조목조목 따지는 걸 별로 좋아하지 않는다. 무슨 일이 있어도 내가 손해보고 말지 하면서 대충 넘어간다. 언뜻 보기에 대범한 것 같기도 하고, 인정이 많은 것 같기도 하다. 그러나 사실은 그렇지 않다.

지금의 한국통신이 통신공사라는 간판을 달고 있던 1980년대 중반 그 회사 부사장에게 이런 말을 한 적이 있다.

“당신은 참 행복한 사람이다. 마음씨 좋고 너그러운 국민 덕분에 그렇게 편하게 일하는 걸 보면 정말 부럽다.”

지금은 많이 나아졌지만 얼마 전까지만 해도 동전만 삼켜 버리고 통화가 되지 않는 공중전화가 많았다. 그럴 때 한국 사람들은 “에이, 재수 없어!” 하면서 다른 공중전화를 찾아간다.

하지만 그래서는 안 된다. 10원이든 20원이든 부당하게 빼앗긴 셈이므로 몇천 원이 들든 몇만 원이 들든 그 돈을 되찾기 위해 노력해야 한다. 말이 안 되는 소리로 들릴지도 모른다. 하지만 피해자가, 이용자가 그렇게 하지 않으면 통신 회사에서 일하는 사람들은 그런 문제가 있다는 것을 알 수 없다. 설령 알게 되었다 하더라도 굳이 고칠 필요가 없다. 통화도 안 시켜 주고 공돈을 벌었으니 더 이익인데 누가 힘들게 고치려 하겠는가?

혹시 이 글을 읽는 여러분 가운데 전화가 잘못 걸렸을 때 전화국에 연락해서 따진 분이 있을까? 물론 자신이 번호를 잘못 눌러서 엉뚱한 곳으로 전화가 걸렸을 수도 있다. 그러나 틀림없이 제대로 눌렀는데도 잘못 연결되었다면 전화국 쪽에 문제가 있는 것이다.

이런 일을 그냥 넘겨선 안 된다. 전화가 잘못 연결되면 반드시 전화국에 연락해서 왜 이런 일이 일어났는지 따져야 한다. 자기가 번호를 잘못 눌렀다면 할 수 없지만, 전화국 쪽 문제로 그런 일이 발생했다면 잘못 걸린 전화요금을 철저하게 받아 내야 한다.

전화 회사 직원들은 귀찮아서라도 그런 일이 되풀이되지 않도록 늘 점검하고 확인해야 한다. 그러다 보면 기계적인 결함이 발견될 수도 있다. 바로 이것이 기술이 발전해 가는 과정이다. 내가 통신공사 부사장한테 한 말은 결국 편하게 일할 수 있어서 좋겠다는 뜻이 아니라 기술 개발의 동기를 자극받지 못하는 것에 대한 동정심의 표현이었다.

곰곰이 따져 보면 한국 사회 각 분야에서 부실이 판치고 비리가 속출하는 것은 국민의 책임이라 할 수 있다. 적어도 안전 시설, 환경 관련 시설을 졸속으로 처리해서 수많은 국민에게 피해를 준 사람은 '엄벌'에 처해야 마땅하다.

이런 말을 하면 한국 사람들은 내가 일본 사람이라는 사실을 떠올린다. 역시 일본 사람은 '독해서' 그럴 수 있는지 모르지만, 한국 사람은 그렇게 몰인정한 일은 할 수 없다고 생각하는 것이다.

그러나 그것은 대단한 착각이다. 잘못을 저지른 사람을 대충 봐주는 것은 결코 인정이 아니다. 그렇게 봐주면 그 사람은 아, 대충 해도 그냥 넘어가는구나 생각하고 점점 더 큰 잘못을 저지르게 된다. 그것이야말로 멀쩡한 사람이 파멸의 길로 치닫는 지름길이다. 잘못이 발견되면 철저하게 책임을 추궁하고 그에 상응하는 벌을 주어야 한다. 그것이 진정한 '인정'이다.

뇌물 받은 정치인도 마찬가지다. 사람이 살다 보면 그럴 수도 있지 하고 한 번 두 번 눈감아 주기 시작하면 종국에는 그 정치인도 망하고 국민도 망한다. 국민 한 사람 한 사람이 내가 낸 세금이 행여 어느 구석으로 엉뚱하게 새 나가지 않는지 눈을 부릅뜨고 감시해야 한다. 까짓 것 액수도 얼마 되지 않는데 뭐 하는 사고 방식, 나 혼자 나서 봤자 뭐 달라질 게 있겠어 하는 사고 방식, 그것이 나라를 망가뜨린다.

앞에서 ARS로 수재민이나 불우이웃을 돕는 데 많은 성금이 답지하는 걸 보고 놀랐다고 말했는데, 좋은 건 거기까지 뿐이다. 그 성금을 해당 주민에게 분배하는 과정에서 유용해 가는 사람이 있다는 사실을 알 만한 사람은 다 안다. 기껏 국민이 착한 마음으로 돈을 내면 그들이 손 한번 안 대고 코 푸는 격으로 그 돈을 빼먹는 것이다. 성금을 낸 사람들은 공평정대하게 분배되는지 끝까지 감시하고 관찰해야 한다. 좋은 일 하기도 쉽지 않은 것이다.

월간지와 텔레비전에 내 이야기가 나가자 많은 사람이 이렇게 말했다.

"당신 얘기는 구구절절이 옳아, 다 맞는 말이라고. 우리라고 그걸 모르겠어? 하지만 혼자 힘으론 안 되는 걸 어떡해."

일단 해 보고 나서 그런 말씀을 하시라. 언제 한번 제대로 노력이나 해 본 적이 있는가? 왜 해 보지도 않고 안 될 거라고 지레 움츠러드는가? 애당초 안 될 것 같으면 이런 잔소리는 하지도 않는다.

옛날 같으면 안 되는 걸 어떡해라는 말에 수긍할 수 있었다. 신호등에 빨간 불이 들어와도 눈치봐서 후닥닥 건너가고, 100원짜리 공사 따서는 50원쯤 슬쩍 해 자기도 먹고 아래위로 골고루 나눠 주고…… 어떻게 해서든 죽기 살기로 뛰어다니지 않으면 살아남지 못하는 시절이 있었다.

그러나 이제는 상황이 달라졌다. 그렇게까지 하지 않아도 먹고 살 만한 정도는 되지 않았는가 말이다. 이제 한국은 세계 11위 경제대국이다. 뒤집어 말하면 전세계 180개 나라 가운데 169개 나라는 한국보다 못산다는 뜻이다.

스스로를 과대 평가하는 것은 분명 나쁘다. 그러나 그보다 더 나쁜 것은 국민소득 1만 달러 시대 사람들이 1백 달러 시절 사고방식을 떨쳐 버리지 못하는 것이다.

온상 속에서만 자라는 '떡잎'

인간뿐만 아니라 동물의 세계에서도 자식에 대한 사랑은 누가 강제할 수 없는 본능에 속한다. 그러나 한국 여성들의 자녀에 대한 애정은 확실히 남다른 데가 있다. '애정'이라기보다 '집착'이라는 표현이 더 어울리지 않을까 싶을 정도다.

나는 어렸을 때부터 성질이 별나서 꽤 말썽을 피운 축이다. 어쩌다 친구랑 싸움을 하고 집으로 들어가면 어머니는 누구랑 싸웠느냐고 묻고는 다짜고짜 내 손을 잡고 그 집을 찾아갔다. 코피가 터졌든 입술이 찢어졌든 아랑곳하지 않으셨다. 무엇 때문에 싸웠는지, 내가 가해자인지 피해자인지조차 묻지 않으셨다. 무조건 상대방 집을 찾아가 사과를 해야 했다. 그러고 나서야 어머니는 내 상처를 치료해 주셨다. 일본에서는 아이를 키우는 부모 대부분이 이런 식이다.

한국에서도 아이가 싸우고 들어오면 상대방을 찾아가는 것까지는 같다. 그러나 일단 찾아가서는 사과를 하는 게 아니라 "아이를 어떻게 키웠기에 남의 집 귀한 자식을 이 꼴로 만들어 놓았느냐"며 언성을 높인다. 그러니 아이 싸움이 곧잘 어른 싸움으로 번지고 만다.

이런 부모 밑에서 자란 아이들은 자기 행동에 책임을 져야 한다는 것을 배우지 못한다. 설사 내가 좀 잘못했다 해도 내 뒤에는 부모가 버티고 있고, 언제 어디서든 내 편을 들어 줄 것이라고 생각하는 것이다. 아이는 자기 행동의 잘잘못을 판단할 정도로 철이 들었는데도 정작 부모 눈에는 아이의 잘못이 보이지 않는 경우도 많다.

한국에서 생활하는 동안 아찔한 순간을 많이 겪었지만 지금 생각해도 등골이 오싹한 사건이 하나 있었다. 내가 탄 차가 광화문 근처 이면도로를 달리고 있을 때였다. 갑자기 코앞에서 중학생으로 보이는 남자아이 세 명이 횡단 보도도 아닌 곳에서 길을 건너기 위해 차도로 뛰어들었다. 왕복 2차선의 좁은 도로라 속력을 내지 않았기에망정이지 자칫 끔찍한 사고가 날 뻔한 순간이었다. 우리 기사는 놀라운 순발력을 발휘하여 급브레이크를 밟았고, 다행히 다친 사람은 아무도 없었다. 깜짝 놀란 그 학생들은 이내 자기네 잘못을 깨닫고 연신 허리를 굽히며 "죄송합니다"라고 사과했다. 나 역시 그 아이들 못지않게 놀랐지만 스스로 잘못을 인정하고 사과를 했으니 그냥 지나가려 했다. 그때 어디선가 한 학생의 어머니로 보이는 아주머니가 나타나더니 다짜고짜 우리 기사에게 마구 욕을 퍼붓는 것이었다. 남의 집 귀한 아들 병신 만들 일이 있느냐는 둥, 무슨 운전을 그 따위로 하느냐는 둥 자못 기세가 등등했다. 나는 당장 차에서 뛰어내려 더 큰 소리로 고함을 질렀다.

물론 자식에 대한 애정 때문이겠지만, 한국 어머니들 눈에는 자기 자식의 잘못이 좀처럼 보이지 않는 모양이다. 그 사건만 해도 그 어머니는 오히려 우리 기사에게 고맙다는 인사를 했어야 옳다.

따지고 보면 그런 습성이 반드시 한국의 어머니들에게만 해당되는 것은 아니다. 때로는 나라 전체가 과잉보호 습성에 길들어 있는 것이 아닐까 하는 생각이 든다. 아래 글을 읽어 보자.

"한국에 가니까 어느 날 전국적으로 일제히 비행기를 이착륙하지 못하게 했다. 자동차도 천천히 조용히 다니고 클랙슨도 빵빵 울리지 못하게 했으며, 전 국민의 아침 출근 시각을 두어 시간 늦추었다. 심지어 증권 시장마저 30분 늦게 시작하고. 그러나 버스와 전철, 택시 등이 총동원되고 경찰도 비상 사태인 듯했다. 거리 곳곳에서 부분적으로 통행을 금지했으며 병원의 구급 차량도 총동원하고……." 이 말을 끝내기도 전에 궁금증을 참지 못한 미국인 동료들은 한국에 무슨 전쟁이라도 났느냐, 쿠데타가 일어났느냐며 묻기에 바빴다.

맞다. 전쟁은 전쟁이다. 입시 전쟁. 위에 묘사한 것은 바로 대학 입시 수능시험을 치르는 날 한국에서 벌어지는 풍경이다. 마치 전쟁이나 쿠데타라도 일어난 것처럼 온 나라가 법석을 떤다. 물론 일생 일대에 중요한 시험을 치르는 학생들을 배려해 주고 싶은 마음이야 충분히 이해되지만, 아무리 생각해도 이건 너무 심하다. 무엇보다 전혀 교육적인 처사가 아니다.

중요한 시험을 치러야 하는 학생이라면 평상시와 똑같이 자기 힘으로 시험 보는 곳까지 갈 수 있어야 한다. 교통이 막혀서 문제가 될 것 같으면 새벽 세 시든 네 시든 제 발로 걸어서라도 가야 한다. 그렇게 자기 힘으로 문제를 해결하는 능력을 길러 주어야지 온 나라가 마비될 지경이 되도록 학생들 편의를 봐 주는 것은 과잉보호에 다름아니다. 학부모 가운데 몇몇이 그렇게 극성을 부린다면 이해할 수 있겠지만, 나라가 앞장 서서 그런 분위기를 조성하는 것은 아무래도 이해할 수 없다. 그러다 보니 학생들은 자기가 무슨 대단한 일이라도 하는 듯한 특권 의식에 사로잡히게 된다.

한국에서는 이상하게 입시 날만 되면 추위가 맹렬하게 기승을 부린다. 1998년에도 예외는 아니었다. 다른 사람들은 그 이유를 어떻게 생각하는지 모르지만, 나는 하늘이 한국 사람들의 잘못된 사고 방식을 경고하기 위해 시련을 내리는 것이라고 생각한다. 집단적으로 잘못을 저지르고 있으니 고생 좀 해 보라는 뜻으로 말이다.

교육적인 측면에서 볼 때 과잉보호는 무관심보다 더 큰 악영향을 미친다. 학생들은 스스로 원해서가 아니라 부모와 선생의 강요 때문에 할 수 없이 공부를 한다.

그러다 보니 자연히 변명의 여지가 싹튼다. 사람은 자기가 하고 싶은 것을 최선을 다해서 해야 후회나 미련이 남지 않는 법이다. 그런 사람은 변명을 하지 않는다. 그러나 하기 싫은 일을 억지로 하는 사람은 결과가 제대로 나오지 않았을 때 자기 잘못보다는 다른 여건 탓이라고 책임을 돌려 버린다.

노르웨이나 덴마크 같은 북유럽 나라를 여행하면서 나는 그곳 부모들이 자녀를 훈련시키는 것을 보고 깜짝 놀랐다. 젖먹이나 다를 바 없는 아이라 할지라도 여덟 시든 아홉 시든 정해진 취침 시간이 되면 가차없이 방으로 들여보내고는 밖에서 문을 걸어 버린다. 아무리 울고 불고 난리를 쳐도 들여다보는 법이 없다.

취침 시간만 정확하게 지키는 것이 아니다. 그들은 옆에서 보기에 안쓰러울 정도로 매사에 엄격하게 아이들을 대한다. 그러다 아이가 자라서 열다섯 살이 되면 그때부터는 전혀 간섭하지 않고 거의 완벽에 가까운 자유를 준다. 이제 너도 어른이 되었으니 네 인생은 알아서 개척하라는 뜻이다. 한국처럼 여든 먹은 어머니가 환갑 지난 아들한테 "얘야, 차 조심해라" 하고 주의를 주는 모습 따위는 상상조차 할 수 없다.

물론 유럽식 교육 방식이 반드시 바람직하다는 뜻은 아니다. 부모 자식 사이에도 '너는 너, 나는 나' 라는 개인주의가 극도로 횡행하는 서구 사회에 비교하면 자녀에게 맹목적으로 사랑과 관심을 쏟는 한국 부모들의 모습은 그들만의 커다란 장점이라고 할 수 있다.

동양 사람의 관점으로 보면 '어떻게 부모라는 사람들이 저럴 수가 있을까' 하는 생각이 들 만큼 자식을 모질게 대하는 서구 사람들도 자기 자식이 미워서 그러지는 않을 것이다. 인간뿐만 아니라 동물의 세계에서도 자식에 대한 사랑은 누가 강제할 수 없는 본능에 속한다. 그러나 한국 여성들의 자녀에 대한 애정은 확실히 남다른 데가 있다. '애정' 이라기보다 '집착' 이라는 표현이 더 어울리지 않을까 싶을 정도다.

약이 과하면 독으로 변할 수 있는 것과 마찬가지로 장점과 단점은 동전의 양면처럼 서로 교차하게 마련이다. 그렇기에 내가 이 책을 통해 지적하는 한국 사람들의 수많은 단점 또한 장점으로 전

환될 수 있다.

자녀에 대한 애정도 마찬가지다. 내가 보기에 한국 부모들, 특히 어머니의 자녀에 대한 애정과 관심은 세계 어느 나라와 견주어도 뒤떨어지지 않는 뛰어난 장점이 될 수 있다. 이 장점을 제대로 살리지 못하고 지금처럼 과잉보호라는 엉뚱한 방식으로 표출하는 세태가 계속된다면 한국의 미래는 없다.

"내 앞에 가는 꼴, 절대 못 봐"

한국 사회에는 인재를 키워 주는 풍토가 거의 없다. 다른 사람이 앞서 가는 기미라도 보이면 철저하게 견제하고 방해해서 올라가지 못하도록 가로막는다. 그래야 자기가 올라갈 가능성이 그만큼 많아지기 때문이다.

일본에서 대학을 졸업할 무렵 나와 함께 어울리던 동창 가운데 음악을 전공한 친구가 하나 있었다. 그 친구는 음악적 재능은 타고났지만 집안이 워낙 가난해서 학창 시절 내내 아르바이트로 학비를 충당해야 했다.

그는 주로 긴자의 고급 레스토랑에서 피아노를 연주하는 아르바이트를 했다. 잘생긴 얼굴에 연주 솜씨도 훌륭했기 때문에 그의 주변에는 언제나 여자가 많았다. 우리는 그 친구를 볼 때마다 "너는 다 좋은데 여자 관계가 복잡한 게 탈"이라며 충고도 하고 놀리기도 했다.

그러던 어느 날 이 친구가 위기에 처했다. 치정에 얽힌 원한 관계에 휘말린 것이다. 구체적으로 설명할 수는 없지만 여자 문제 때문에 자칫하다가는 생명에 위협을 느낄 지경까지 이른 것이다.

이리저리 피해 다니며 쩔쩔매는 그를 보다못해 나와 몇몇 친구가 '대책 회의'를 열었다.

당시 우리가 내린 결론은 그를 외국으로 피신시키자는 것이었다. 우리는 가진 돈을 모두 털어 30만 엔이라는 거금(당시 대학교의 한 학기 등록금이 1만 2천 엔 정도였다)과 함께 조그만 오토바이를 한 대 마련해 주었다. 친구는 결국 오토바이를 배에다 싣고 일단 홍콩으로 피신한 다음 거기서부터는 오토바이를 타고 육로로 유럽까지 내뺐다.

그렇게 해서 간신히 목숨을 건진 그는 프랑스 파리에 도착해 어느 부잣집에서 피아노 가정교사로 일하며 음악 수업을 계속했고, 급기야 세계적인 지휘자가 되어 일본으로 돌아왔다. 지금은 음악에 웬만큼 관심이 있는 한국 사람들도 익히 알 정도로 유명한 지휘자가 되었다. 혹시 그에게 피해를 미칠지 모르니 이름은 소개하지 않는 것이 좋겠다.

이런 식으로 어려움에 처한 친구를 돕는 것, 가능성이 보이는 친구를 밀어 주는 것은 직장 생활에서도 마찬가지다. 예를 들어 어느 학교 동창생들이 행정고시를 통과하고 공무원 사회에 포진해 있다고 하자. 대개 과장급 정도 되면 능력의 우열이 서서히 판가름나기 시작한다. 그 가운데 가장 가능성이 많아 보이는 사람이 있으면 나머지 동창들은 그 친구가 장관 자리까지 오르도록 혼연일체가 되어 밀어 준다.

그러다가 정말로 그 친구가 장관이라는 지위에 오르면 나머지 친구들은 그날로 모두 사직서를 낸다. 장관이 된 친구가 '은혜'를 갚겠다는 생각에 어떤 특혜를 주고 싶어할지도 모르고, 친구에게 마음놓고 지시를 내리기가 껄끄러울 것이라는 배려 때문이다. 일본 관료 사회에서 흔히 볼 수 있는 모습이다.

일본 아이들이 즐겨 부르는 동요 가운데 이런 게 있다. 오래 되어서 가사가 정확히 기억나지는 않지만, 대충 요약하면 이렇다.

'해 저물고 산사의 종소리 울려 퍼지니, 다 같이 손잡고 집으로 돌아가자. 까마귀도 함께 가자…….'

한국에도 이와 비슷한 동요가 있는지 모르지만, 바로 이것이 일본 사람들의 마음 깊은 곳에 깔려 있는 진정한 동반자 의식이다. 함께 손을 잡고 있으면 그 사람한테 피해를 주지 못한다. 또 같이 가는 사람 중에 한 사람이라도 뒤처지면 서로 끌어 주고 밀어 주어야 함께 갈 수 있다.

그런데 무대가 한국으로 바뀌면 전혀 다른 양상이 나타난다. 한국 사람들도 우정에 대해서는 각별한 데가 있지만 그토록 돈독한 우정도 돈이나 지위가 개입되면 봄눈 녹듯 사라져 버리는 경우를 나는 적잖이 목격했다.

아무리 친한 사이라 해도 친구가 잘 되는 것을 기뻐하고 축하해 주는 대신 은근히 시기하고 질투하는 마음이 앞선다. 누군가 먼저 승진하면 "그 자식 그거, 능력도 없는 녀석이 열심히 손바닥 비벼 대더니……" 하는 식으로 반응하는 것이다.

한국 사회에는 인재를 키워 주는 풍토가 거의 없다. 다른 사람이 앞서 가는 기미라도 보이면 철저하게 견제하고 방해해서 올라가지 못하도록 가로막는다. 그래야 자기가 올라갈 가능성이 그만큼 많아지기 때문이다.

한국에서 생활하면서 가장 어렵게 느낀 대인관계도 사촌이 논을 사면 배가 아픈 한국 사람들의 심리에서 비롯된 것이다. A라는 사람과 B라는 사람이 있다고 하자. 두 사람은 절친한 친구 사이다. 그런데 어느 날 그들 사이에 내가 나타났다. 나는 무슨 일이 있어도 그 두 사람을 '똑같이' 대해 주어야 한다. 외국에 갔다 와서 하다못해 넥타이를 선물해도 두 사람에게 똑같은 걸 주어야 한다. 둘 가운데 한 사람만 만나게 되면 반드시 사전에 혹은 사후에라도 그런 사실을 알려 주어야 한다. 그러지 않으면 문제가 생긴다. 나하고가 아니라 그 두 사람 사이에 틈이 벌어지는 것이다. 이럴 때는 무척 곤혹스럽다.

회사를 상대할 때도 마찬가지다. 예를 들어 한 회사의 사장, 부사장, 전무, 상무 등을 내가 다 알고 지낸다고 하자. 나는 그 서열에 따라서 한 사람이라도 섭섭한 감정을 느끼지 않도록 신경을 곤두세워야 한다. 상무 선에서 처리할 수 있는 사안이라고 해서 사장을 제쳐놓고 상무하고만 일을 진행시키면 틀림없이 그 상무는 나중에 사장에게 불이익을 당한다.

정치판도 예외는 아니다. 얼마 전에 평소 친하게 지내던 정치인 한 사람이 뇌물을 받았다는 혐의로 구속되었다. 나는 대한민국의 모든 정치인이 뇌물을 받아도 그 사람만은 깨끗할 것이라고 믿었고 그 믿음은 지금도 변함없다. 나로서는 그가 정치적 희생자가 되었다고 볼 수밖에 없다.

이런 세태는 한국 사람의 가장 심각한 병폐 가운데 하나다. 그러나 이제는 그 병폐를 장점으로 활용해야 하는 시대가 되었다. 시기하고 질투하는 그 에너지의 각도를 조금만 달리하면 건전한 선의의 경쟁으로 바꿀 수 있기 때문이다.

참다운 경쟁이란 남을 짓밟고 올라서는 것이 아니다. 그것은 경쟁이 아니라 정복이다. 파이가 하나밖에 없었을 때에는 힘센 사람이 약한 사람을 때려 눕히고 독차지해야 먹고 살 수 있었다. 그러나 이제 사이 좋게 나누어 다 먹을 정도로 파이가 커졌다. 어차피 다 먹지도 못할 것에 욕심내지 말고 어떻게 하면 그 파이를 더 크게 키울 수 있을지만 생각하면 된다.

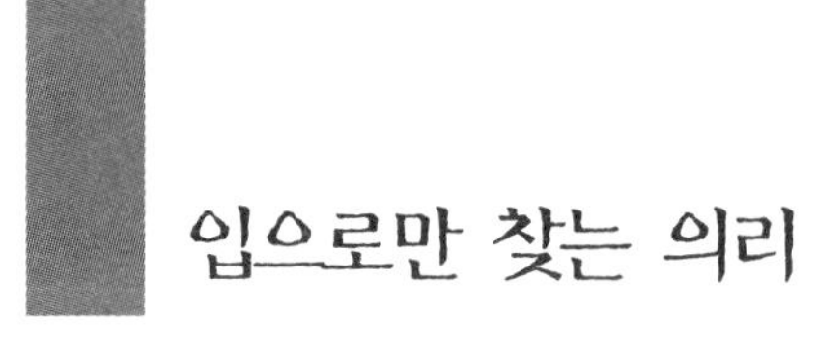

입으로만 찾는 의리

일본 공무원 사회에서는 뇌물을 받았다가 발각되는 사태가 생기면 다른 사람에게 피해가 미치는 것을 막기 위해 스스로 목숨을 버림으로써 고리를 끊어 버리는 일이 흔히 나타난다. 그러나 한국에서는 굴비 두름처럼 줄줄이 엮여 올라가는 경우가 허다하다. 과연 어느 쪽이 더 의리 있는 것일까.

흔히 한국 사람들은 인정 많고 의리 있다는 말을 한다. 사실 나도 그렇게 느낄 때가 많다. 조금 친해지면 '의형제'를 맺자고 제의하는 친구들도 있다. 그래서 국적은 다르지만 나를 깎듯이 '형님'이라고 부르는 '동생'이 셋이나 있다.

여담이지만 '형님'이라고 부르지 말아 달라고 부탁한 사람도 있다. 그는 이름만 대면 누구나 아는 대한민국 최고의 영화배우다. 나 또한 그를 좋아하고 아끼지만 그 친구만큼은 나를 '형님'이라고 부르지 못하게 한다.

왜냐하면 그는 한국의 자존심이기 때문이다. 지금은 비록 나이가 들어서 활동이 뜸하지만, 한때 대통령 이름은 몰라도 그 친구를 모르면 한국 사람이 아닐 정도였다. 그런 그가 일본인, 이른바 '쪽발이'인 나를 형님이라고 부른다면 한국 사람들의 자존심에 상처를 입힐지도 모를 '사건'인 것이다.

물론 형님이라고 부르는 사람들을 내가 전부 동생이라고 생각하는 것은 아니다. 평소에는 꼬박꼬박 형님, 형님 하다가도 자기 상사 앞에 가면 갑자기 '이케하라 상'이라고 부르는 사람들도 있다. 그런 사람들은 자기가 필요할 때에만 '형님'일 뿐 그렇지 않으면 쳐다보지도 않는다.

일본 사람이 한국에 대해 쓴 책에서 한국 사람들이 유난히 고향을 사랑하고 인정이 많아 지역 감정이라는 부작용이 나타난 거라는 글을 읽은 적이 있다. 나는 그렇게 생각하지 않는다. 한국 사람들이 유난히 고향을 사랑하고 인정이 많은 듯이 보이는 것은 위험이 닥쳤을 때 빠져 나갈 구멍을 만들어 두기 위해서, 비빌 언덕을 미리 준비해 두기 위해서라고 생각한다.

앞에서 '까마귀도 손 잡고 같이 가자'는 내용의 일본 동요를 소개했지만, 한국 사람들에게는 그런 정신이 부족하다. 가능하다면 손을 잡고 같이 가는 게 아니라 나 혼자 먼저 뛰쳐나가야 속이 시원하다. 뒤에서 총을 들고 쫓아오는데 나부터 살고 봐야지 다 같이 가려고 우물거리다간 총 맞아 죽기 십상이다.

한국 사회에 유난히 형님 동생이 많고 입만 열면 의리 운운하는 사람이 많은 것도 같은 맥락이다. 바꿔 말해서 '가능하면 의리를 지킬 수 있으면 좋겠다'는 희망 사항일 뿐, 현실에서는 그게 이루어지지 않으니까 입으로나마 자꾸 의리를 찾는 것이다.

일본 공무원 사회에서는 뇌물을 받았다가 발각되는 사태가 생기면 다른 사람에게 피해가 미치는 것을 막기 위해 스스로 목숨을 버림으로써 고리를 끊어 버리는 일이 흔히 나타난다. 그러나 한국에서는 굴비 두름처럼 줄줄이 엮여 올라가는 경우가 허다하다. 과연 어느 쪽이 더 의리 있는 것일까.

기업 사회에서도 마찬가지다. 재벌 구조에 대해서는 한국 내부에서도 여러 가지 비판이 많아서 현재 구조조정이니 빅 딜이니 하는 소용돌이가 휘몰아치고 있다. 그런데 내가 보기에 한국 재벌의 가장 큰 문제점은 뭐니뭐니 해도 '의리'가 없다는 점이다.

잡아먹지 않으면 먹히고 마는 치열한 경쟁 시대에는 의리가 개입될 여지가 없다고 생각하는지 모르겠는데, 그렇지는 않다. 한국 재벌이 지금처럼 성장한 것은 순전히 국민의 도움, 정부의 도움 덕분이라 해도 과언이 아니다. 아무리 경쟁이 치열하다 해도 오늘의 자신을 있게 해 준 은인을 배신한다면 경쟁 때문이 아니라 제풀에 못 이겨 스스로 무너져 버리고 말 것이다.

한번은 어느 가전제품 회사에서 나를 찾는다는 연락이 왔다. 일본에서 다급하게 부품을 수입해야겠으니 도와 달라는 이야기였다. 하도 시일이 촉박하다고 성화를 부려서 왜 그렇게 서두르냐고 물었더니 미국에 수출을 해야 하는데 한국산 부품을 썼다가 클레임이 걸렸다는 것이다. 하자가 있는 부분을 보완해서 납기를 맞추려면 일본 부품을 들여올 수밖에 없다는 것이다.

그런 이유로 하루아침에 거래처를 바꿔 버리면 원래 그 회사에 부품을 납품하던 한국 회사는 어떻게 되는가. 조그만 하청업체가 중요한 거래선을 잃었으니 자칫하면 회사가 망할지도 모르는 일이다.

당장 발등에 떨어진 이번 수출 건을 포기하는 한이 있더라도 하청업체를 지원해서 한국 기술을 키워 나갈 생각을 해야지, 미국에서 클레임이 걸렸다고 파트너를 버리고 일본 회사에서 부품을 수입한다면 한국에서는 도대체 누가 기술을 개발한단 말인가. 눈앞의 이익에만 급급할 뿐 이후의 먼 미래는 아예 안중에 없다.

한국의 대기업들은 조그만 협력업체를 키워 주는 데 너무 인색하다. 키워 주기는커녕 혹시라도 저놈들이 힘이 세져서 우리를 위협하지 않을까 하는 생각에 견제하고 방해하기에 여념이 없다. 조금만 더 생각하면 튼튼한 협력업체를 키우는 것이 자기들에게도 더 큰 도움이 된다는 것을 알 수 있을 텐데 말이다. 그 정도 안목도 없는 사람들이 한 나라의 경제를 이끌어 간다고 생각하면 실로 한심스럽고 걱정스럽다.

직장인들도 마찬가지다. 아무리 평생 직장의 개념이 무너진다고 하지만 한국의 회사와 일 관계로 접촉하다 보면 5, 6년 이상 한 회사에 진득하게 붙어 있는 직원이 거의 없는 느낌이다. 노동시장 구조가 평생 직장이라는 개념 자체가 아예 없는 미국식으로 정착된다면 또 모를까, 아직 그렇지도 않은 상태에서 이리저리 직장을 옮겨 다니는 것은 개인을 위해서나 회사를 위해서나 결코 바람직한 현상이라고 할 수 없다. 직장을 옮기는 것은 그나마 낫다. 직업 자체를 이것저것 바꾸는 사람을 보면 더욱 불안하다.

한국에서 일을 하다 보면 정말 황당할 때가 있다. 어느 회사에서 줄곧 상대해 온 중견 간부 한 사람이 어느 날 느닷없이 없어져 버린다. 그 사람 왜 안 보이냐고 물어 보면 '퇴사' 하였단다. 회사를 그만두려면 자기가 하던 업무를 후임자에게 철저하게 인수 인계해 주는 것이 상식이다. 그런데 그런 과정도 없이 어느 날 갑자기 몸만 달랑 빠져 나가 버린다. 관련 업무에 대해 아무 것도 모르는 새 파트너를 상대로 처음부터 다시 시작해야 하는 고충은 이만저만한 것이 아니다. 나로서는 참으로 난감한 일이다.

그런데 그보다 더 황당한 일이 있다. 어느 날 한 회사에서 사라졌던 사람이 다른 회사 이름이 찍힌 명함을 들고 불쑥 나타나는 것이다. 알고 보면 그는 먼저 다니던 회사에서 몸만 빠져 나온 것이 아니라 자기가 관계를 맺어 온 거래처 명단과 관련 기술, 정보 자료 등을 모조리 가지고 나온 모양이다. 그래 놓고는 회사는 바뀌었지만 사람도 똑같고 하는 일도 똑같으니 예전에 하던 일을 계속하자고 제의한다.

그렇게 회사를 옮기면서 월급과 직위가 얼마나 더 올라갔는지는 모르겠지만, 나는 그런 사람은 두 번 다시 상대하지 않는다. 나만 그런 게 아닐 것이다. 그 사람이 그런 인간성을 가졌다는 사실을 알면 정신이 나가지 않은 다음에야 어느 누가 그를 상대하려 하겠는가. 결국은 제 손으로 무덤을 파는 결과를 초래할 뿐이다.

월급을 10만 원 더 받느냐 덜 받느냐, 부장이라는 직함을 1년 빨리 다느냐 늦게 다느냐는 것은 한 사람의 인생 전체를 놓고 볼 때 지극히 사소한 차이에 지나지 않는다. 사람이 태어나 한평생 살아가면서 그렇게 사소한 일에 인간성까지 걸어서야 되겠는가.

개인이든 기업이든 당장의 실리만 생각한다면 의리를 지키는 것이 불리하게 생각될지 모르지만, 장기적인 관점에서는 의리야말로 가장 소중한 재산이 될 수도 있다는 사실을 잊어서는 안 된다.

새벽을 열지 못하는 장닭

한국을 남성 중심의 사회라고 단정하는 것은 성급한 판단이다. 얼른 보기에는 남자들이 모든 것을 지배하는 것 같지만, 한 꺼풀 벗기고 보면 모든 것을 지배하는 남자를 지배하는 것이 바로 한국의 여자들이다.

한국에 살면서 좀처럼 이해할 수 없는 것이 한국 사회에서 여성이 차지하는 지위라는 문제다.

가끔 텔레비전에 나오는 여자들이 서구 사회에 비해 한국에는 여성 정치인의 비율이 낮다고 아쉬워하는 모습을 본다. 국회의원뿐만 아니라 장관이나 차관 등 고위 공무원, 각 기업체 최고 경영자 등 정계와 재계 전체를 통틀어 한국 여성의 사회적 지위는 선진국과 비교할 때 터무니없이 낮다. 똑같은 대학을 나와도 취업이나 승진, 봉급 등에서 여성들은 뚜렷한 이유도 없이 차별을 당하고 평상시에도 남성들보다 열등한 대우를 받는다. 그러니 여성 지도자들이 '여성들의 각성'을 외치며 열변을 토하는 것도 무리는 아닌 듯하다.

불평등이 그뿐인가. 수시로 터져 나오는 성희롱 사건이나 여성이기 때문에 받아야 하는 사회적 차별 등을 생각하면 이제 한국도 진정한 남녀 평등 시대를 열어 가야 한다는 주장이 일리 있어 보인다.

한국 사회에서 남녀가 평등하게 대우받지 못하는 것은 분명한 사실이다. 그것도 대부분 여성이 차별을 받는다. 그런데도 나는 여성들이 나약하고 억울하고 불쌍하지 않다. 아니, 오히려 그 반대다. 남성들이 힘이 없고 불쌍해 보인다.

한국에는 '여성 상위' 사회라고밖에 볼 수 없는 측면이 많다. 그 어떤 나라와 비교해도 사정은 달라지지 않는다. 일본은 물론 미국보다 더 여성의 힘이 센 나라가 바로 한국이다. 이른바 '여필종부(女必從夫)'라는 유교적 이데올로기는 사라진 지 오래 되었다. 이것은 결코 역설이 아니다. 궤변은 더 더욱 아니다.

이렇게 말하면 어떤 이들은 그렇게 기분 내키는 대로 말하지 말고 근거를 대라고 할 것이다. 이 대목에서 독자 여러분에게 미리 양해를 구해야겠다. 나는 현상을 체계적이고 논리적으로 분석하는 훈련을 받은 사람이 아니다. 특히 학문적인 뒷받침을 요구하는 분야라면 더 더욱 그러하다.

따라서 어떤 면에서는 내가 지금 굉장히 주제넘은 짓을 하고 있다는 것을 안다. 더군다나 한국은 내 나라가 아니다. 나름대로는 한국 사람 못지않게 한국이라는 나라를 사랑하고, 되도록 이 나라 사람들의 생각을 이해해 보려고 많은 노력을 기울이고 있다. 그렇지만 때때로 '아 나는 영원한 이방인일 수밖에 없구나' 하는 회한이 일 때가 있다.

그러나 학문적이고 이론적인 논리를 갖춘 과학적 분석만이 진실을 담을 수 있는 것은 아니다. 물론 그런 방법론이 진실을 대변할 수 있는 가능성이 크기 때문에 이론이나 학문으로 승화되었겠지만, 나 같은 이방인이 그저 눈에 보이는 대로 두런두런 늘어놓는 이야기에도 한번쯤은 귀기울여 볼 필요가 있다고 생각한다. 중이 제 머리 못 깎는다는 속담이 있듯이 자신이 직접 개입하고 있는 일은 당사자 눈에 잘 보이지 않기도 하기 때문이다.

이것으로 나의 무책임한 발언이 면죄부를 받는 것은 아니겠지만, 적어도 이런 글을 쓰게 된 충정만은 여러분에게 전달되었으면 좋겠다. 아무튼 내가 한국은 여성의 힘이 남성을 압도하는 사회라고 생각하는 이유는 이러하다.

역사적으로 나라에 위기가 닥쳤을 때 한국 여성들이 보여 준 억척스러운 힘은 남자에게 절대 뒤지지 않는다. 임진왜란 때 평범한 여염집 아낙들이 앞치마에 돌덩이를 실어 날라 일본군을 물리치는 데 앞장 섰다는 이야기며, 적장의 허리를 껴안은 채 동반 자살한 논개라는 여인의 이야기를 듣고 나는 적지 않은 감동을 느꼈다. 물론 일본의 역사책에는 나오지 않는 이야기다.

현대 한국 여성들도 결코 선조들에게 뒤지지 않는다. 처음 한국에 왔을 때 나는 한국 사채업자는 전부 여자인 줄 알았다. 자본주의 사회에서는 자고로 돈줄을 움켜쥔 사람이 강자로 군림한다. 따라서 큰손 작은손 가릴 것 없이 사채시장에 여자가 많다는 것은 그만큼 힘이 세다는 반증이다. 장영자 사건을 필두로 굵직한 금융 사고에는 반드시 여자가 개입되어 있는 것도 이러한 나의 생각을 뒷받침해 준다.

물론 세계 어느 나라에나 '치맛바람'을 일으키는 여자들이 있고, 대형 사고에 여자들이 관계된 경우도 많다. 그러나 대부분 배후에서 조연 역할을 하는 데 그친다. 한국에서처럼 여자가 전면에서 주도권을 행사하며 대형 사고를 일으키는 나라는 거의 없다.

힘에는 여러 종류가 있다. 간단하게 팔씨름으로 확인할 수 있는 물리적 힘도 있지만, 우리는 지금 그런 물리력보다 경제력이나 정치력 같은 사회적 힘이 더욱 중요한 세상에서 살고 있다. 가정에서도 복잡한 역학 관계는 어김없이 작용한다.

한국에서는 '경제권'을 남편이 쥐고 있는 가정이 별로 많지 않은 것 같다. 월급이 온라인으로 입금되어 집에서 통장을 틀어쥐고 있는 아내의 수중으로 고스란히 들어가거나 월급 봉투째 아내에게 가져다 바치고 자신은 용돈을 타서 쓰는 직장인이 태반이다.

이따금 그런 친구들한테 "왜 자기가 번 돈을 아내에게 모조리 주고 정작 자신은 돈이 없어서 쩔쩔매느냐?"고 물어 보면 대답은 한결같다. 자기가 돈을 관리하면 한 달 월급 가지고 보름도 못 버틴다는 것이다.

결국 그 가정의 주도권을 아내 쪽에서 쥐고 있다는 뜻이다. 다들 표면적으로는 여성들이 특유의 꼼꼼하고 치밀한 성격으로 살림을 잘 하기 때문에 돈이 헤프게 없어지지 않는다는 이유를 댄다. 하지만 내막을 들여다보면 여기에도 돈줄을 쥔 자가 힘을 장악하고 관계를 장악하는 자본주의의 생리가 고스란히 관철되고 있다.

서구와 비교할 때 한국 여성의 사회적 진출이 미약한 것은 사실이다. 그렇다고 해서 한국을 남성 중심의 사회라고 단정하는 것은 성급한 판단이다. 얼른 보기에는 남자들이 모든 것을 지배하는 것 같지만, 한 꺼풀 벗기고 보면 모든 것을 지배하는 남자를 지배하는 것이 바로 한국의 여자들이다.

한국에서는 모든 집안일을 여자들이 처리한다. 밥하고 살림하는 것은 물론 물건을 사고 집을 사고 적금을 붓고 심지어 축의금이나 조의금 액수까지 여자들이 알아서 결정한다. 남자들은 아녀자 일에 꼬치꼬치 간섭하는 것은 대장부의 도리가 아니라고 생각한다. 음식이 싱겁거나 짜도 아무 소리 않고 그냥 먹는다. 왜 그렇게 사느냐고 물어 보면 십중팔구는 '가정의 평화를 지키기 위해서'라고 대답한다.

물론 남자든 여자든 통이 크고 대범한 것은 좋은 일이다. 그러나 한국 사회에서는 가정에서 이런 기울어진 역학 관계 때문에 많은 문제점이 발생한다. 남자들이 간섭하지 않으니까 여자들은 자기가 하는 일이 다 올바르다고 착각한다.

화장이나 패션 같은 유행 문제를 생각해 보자. 한국 여성들이 본격적으로 패션에 신경을 쓰는 여유를 누리게 된 것은 1988년 서울 올림픽 이후다. 내 생각이 맞다면 여자들의 멋내기 역사는 불과 10년밖에 안 된다.

한국 여자들 중에는 이 옷이나 화장이 나한테 어울리는지 어떤지, 멋있는지 아닌지 판단할 능력이 없는 사람들이 있는 것 같다. 그 결과는 두 가지 현상으로 나타난다.

첫째는 누군가 모범을 보이면 대다수 여자가 아무 생각 없이 그 뒤를 따라가는 현상이다. 어느 나라나 유명 스타가 유행을 주도하지만, 한국처럼 막강한 힘을 발휘하지는 못한다. 길거리를 다니다 보면 누가 누군지 분간하지 못할 정도로 똑같은 헤어스타일, 똑같은 입술 색깔, 똑같은 옷과 신발뿐이다. 개성이라고는 약에 쓰려 해도 찾아볼 수 없다.

둘째는 일반적인 경제 원칙을 비웃기라도 하듯 값이 비싸면 비쌀수록 더 잘 팔리는 기이한 현상이다. 자신에게 어울리는지 어떤지 판단할 미적 안목이 없는 사람들은 오로지 값이 비싸냐 싸냐로 판단하는 것이다. 패션이나 멋내기에 대한 무지가 바로 이런 결과로 나타난다.

요컨대 여자가 화장을 하거나 아름답게 치장하는 것은 남자에게 잘 보이기 위한 것이다. 개중에는 자기 만족 때문에 그런다고 하는 사람도 있지만 어디까지나 부차적인 동기에 지나지 않는다. 그렇다면 과연 여자들의 유행이 남자 눈에도 예쁘게 비치는가가 문제인 것이다.

우선 내 취향부터 소개해 보자. 나는 입술을 시커멓게 칠하고 다니는 여자를 보면 당최 속이 울렁거려서 참을 수가 없다. 도대체 언제부터 시작된 유행인지 모르겠지만, 골프장에 가 보면 오십 먹은 아주머니들까지 온통 입술이 시커멓다. 왜 그러고 다니냐고, 이왕이면 좀더 예쁜 색깔도 있지 않으냐고 하면 대답은 한결같다.

"왜요, 섹시하잖아요."

글쎄, 그건 자기네들 생각이고 내가 보기에 섹시하기는커녕 죽은 사람 얼굴 같아서 언짢기만 하다. 그렇게 말하는 아주머니들의 남편들은 그 시커먼 입술을 어떻게 생각하는지 몹시 궁금하다.

전세계적으로 유명한 의상 디자이너나 헤어 디자이너를 보면 남자의 비중이 점점 커지는 추세다. 당연한 일이다. 여자의 아름다움을 객관적으로 평가할 수 있기 때문이다.

그런데도 한국 여자들은 남자의 견해에 귀기울이지 않는다. 뭐라고 이야기를 하면 으레 "잔소리한다" "시대에 뒤떨어졌다" "구닥다리다"라고 말대꾸나 한다. 그런 소리가 듣기 싫어서 남자들은 아예 간섭을 안 해 버린다. '가정의 평화'를 지키기 위해서다.

한 가정의 경제권을 여자가 장악하는 것까지는 이해할 수 있다. 그러나 자녀 교육 문제에 관한 한 한국 남자들이 지금처럼 전권을 아내에게 맡겨 놓아서는 안 된다고 생각한다.

남편은 회사 일로 바쁘고 집 바깥에서 보내는 시간이 많다 보니 아내에게 자녀 교육 문제를 전담시킨다. 어쩌다 자식의 성적표나 들여다보는 게 고작이고, "교육 문제는 애들 엄마가 알아서 하겠지" 하며 아예 신경을 꺼 버린다. 남편으로서는 단지 귀찮기 때문에, 그것말고도 신경써야 할 일이 많기 때문에 아내에게 자녀 교육을 맡겨 놓은 것이라고 둘러대겠지만, 사실은 그렇지 않다.

그 이유를 한마디로 말하면 아내 쪽에는 어떻게든 자기 손으로 자녀를 교육시켜야 하는 절박한 동기가 있는 반면 남편 쪽은 그렇지 않기 때문이다. 얼른 생각하면 무슨 소리인지 잘 이해가 안 되겠지만, 나는 그런 현상을 이렇게 생각한다.

한국 사회에서 여자는 '출가외인'이다. 시집가고 나면 더 이상 그 집 식구가 아니라는 뜻이다. 그렇다고 해서 결혼식을 올리는 그날부터 완전히 시댁 사람이 되느냐 하면 그게 또 반드시 그렇지만도 않다. 왜냐하면 시집 족보에 올라가지 않기 때문이다.

한국은 여자가 결혼을 하고 난 다음에도 자기 성을 그대로 유지하는, 세계에서 몇 안 되는 나라다. 서양은 물론 일본에서도 여자가 결혼을 하면 남편의 성을 따라간다.

이에 대한 의미를 좀 과장해서 표현하자면, 한국 여자들은 언제든지 시댁에서 "너 마음에 안 드니까 보따리 싸서 나가!" 하면 친정으로 돌아갈 준비가 되어 있어야 한다는 뜻이다. 그러나 친정에서는 출가외인 운운하며 한번 시집간 딸을 따스하게 맞아 주지 않는다. 말 그대로 오도 가도 못하는 처지가 되어 버리는 것이다.

이런 상황에서 여자가 의지할 수 있는 대상이라곤 오로지 자식밖에 없다. 시아버지와 시어머니는 물론 최악의 경우 남편조차 내 편이 아니다. 그러나 끈끈한 혈육의 정으로 연결된 어머니와 자식의 관계는 그 누구도 끊을 수 없다. 상황이 이러니 딸보다는 아들이 낫다. 아들은 시집의 호적과 이름, 재산을 전부 상속받는 든든한 '백'이다. 이래서 한국 주부들은 기를 쓰고 아들을 낳으려 한다. 아들은 말 그대로 보험이나 마찬가지기 때문이다. 요즈음 같은 핵가족 시대에도 아들 낳으려고 삼공주, 사공주 주르르 낳는 집이 심심찮게 있다.

남편은 자식에게 성을 물려주었으니 그 아이는 누가 뭐라 해도 자기 자식이다. 그러나 여자로서는 자식까지 빼앗겨 버리면 이 세상 어느 한 구석 의지할 데가 없어진다. 지나치게 단순화한 감이 없지 않지만 자식, 특히 아들에게 유난히 집착하는 한국 여성들의 머리 속에는 이런 뿌리깊은 잠재의식이 남아 있는 것 같다.

자식에 대한 애정과 관심은 곧 교육열로 이어진다. 조금 적극적인 어머니들은 다른 아이들이 하지 않는 것을 하나라도 더 가르치려고 안달이다. 그러니까 별 생각 없이 사는 어머니들까지 최소한 남들 하는 것은 우리 아이도 시켜야 한다는 생각으로 그 뒤를 따른다. 여자들이 인정받기 위해서는 살림을 잘 하는 것도 중요하지만 그보다 자식을 얼마나 출세시키느냐 하는 것이 더 크게 작용한다.

가만 보면 이 부분에서도 유행을 따라가는 것과 똑같은 심리가 작용한다. 옆집 아이가 피아노를 배우면 내 아이에게도 가르쳐야 하고, 옆집 아이가 태권도를 배우면 내 아이에게도 시켜야 한다. 그래 봤자 궁극적인 목표는 단 하나, 자식을 명문대학에 입학시키는 것이 대한민국 모든 어머니의 지상 과제다.

늦게까지 일을 하다가 밤 12시가 넘어서 집에 가면 그 시간에 가방을 멘 고등학교 학생들이 나하고 같이 엘리베이터를 탈 때가 있다. 이렇게 늦게까지 어디 갔다 오느냐고 물어 보면 한결같이 학원이나 독서실에서 공부하고 오는 길이라고 대답한다.

사정이 이러니 집에서 부모가 자식한테 가정 교육을 하고 싶어도 시간적 여유가 없다. 한국의 가정 교육은 철저하게 입시 위주인 학교 교육을 보충하는 수준에 머물러 있을 뿐이다.

사람이 한세상을 사람답게 살아가기 위해서는 학교에서 선생님한테 배우는 지식도 중요하지만 집에서 부모에게 받는 가르침도 무시할 수 없다. 그런데 한국 사회에는 가정 교육은 없고 오로지 입시 교육만 존재한다. 나라 전체가 이토록 무질서하고 몰염치한 것도 무리는 아니다.

나는 이런 세태의 직접적인 원인이 여자가 잘못하고 있기 때문이라고 생각한다. 어떻게든 자식을 출세시켜야 자기 존재 기반을 확보할 수 있다는 그릇된 관념 때문에 여자들의 시야가 그만큼 좁아지는 것이다.

이런 내 생각이 틀리지 않다면 그 문제를 해결하기 위해서라도 아버지들이 더욱 적극적으로 자녀 교육 문제에 간여해야 한다. 평소에는 대충 넘어가다가 결정적인 순간에 한마디 하면 아버지로서, 남편으로서 권위를 지킬 수 있다는 생각은 착각이다.

한국 남자들은 집에 일찍 들어가는 날이 거의 없다. 야근이다, 회식이다, 접대다 해서 날이면 날마다 늦는다. 어쩌다가 공식적으로 늦을 일이 없는 날이면 모처럼 시간이 났다며 동창이나 친구들을 만나 술을 마신다. 그러니 주말이 되면 그동안 소홀했던 가족에게 '봉사' 하기 위해 어디로든 놀러 가야 한다. 평일보다 주말에 더 길이 복잡한 것은 그 때문이다.

한국 남자들이 자녀 교육에 신경쓰지 않는 것은 의지가 없어서라기보다 능력이 없어서 못하는 경우가 훨씬 많다. 경제가 어려워지고 실직자가 많아지면서 '고개 숙인 남자' 들이 더욱 늘고 있지만 오늘 살고 말 일은 아니잖은가. 한국 남자들은 '가정의 평화' 를 지킨다는 명분으로 귀찮다는 듯이 모든 것을 양보하고 인내해서는 안 된다. 그것은 가장으로서 명백한 직무 유기다. 이대로 가다가는 교육뿐만 아니라 나라 전체가 망한다.

이렇게 단도직입적으로 말하면 충격을 받다 못해 분노로 쓰러질 여성이 생길지도 모르지만, 어차피 맞아 죽을 각오를 하고 쓰는 글인 다음에야 무슨 소리를 못하겠는가. 내가 한국 사람들에게 가장 간절히 하고 싶은 이야기, 그러나 가장 하기 껄끄러운 이야기가 바로 이것이다.

"한국 남자들이여, 제발 힘을 내라. 그리고 한국 여자들, 그대들은 남자의 뒤를 따라가라."

망나니로 키우는 가정교육

내가 어렸을 때 동생하고 싸움을 하면 아버지는 칼 두 자루를 우리 앞에 꺼내 놓았다. 이왕 싸우려면 '확실하게' 칼을 들고 싸우라는 뜻이다. 그렇게 해서 누구 하나가 죽어 버리면 더 이상 너희 싸우는 꼴 보지 않아도 될 거라고 말씀하셨다.

월간지와 텔레비전 방송에 나가고 난 다음 나는 아주 많은 일을 겪었다. 심지어는 길거리에서 나를 알아보고 "엇그제 텔레비전에 나온 사람"이라면서 자기들끼리 수군거리기까지 하는 걸 보면 매스컴의 위력이 크긴 큰 모양이다.

어쨌거나 가장 곤혹스러운 것은 나 때문에 본의 아니게 피해를 본 분들이 더러 있다는 사실이다. 여기서 이런 이야기를 하는 것 자체가 그분들에게 더 큰 피해를 주는 것인지도 모르지만, 오해가 있었다면 사과도 할 겸 그 동안 있었던 일을 소개하고자 한다.

우선 월간지에 기고한 글에서 내가 살고 있는 아파트 이야기를 언급했다. 내가 그 집으로 이사를 간 것은 몇 년 전 3월 6일이었다. 이사 간 다음날 신문값이니 우유값을 달라는 사람들이 몇 번이나 찾아왔다. 내가 어제 이사 왔다고 했더니 그 사람들은 몹시 난감한 표정을 지었다. 전에 살던 사람이 3월 7일 이후에 오라고 해서 왔다는 것이다.

이사 날짜는 분명히 한 달 전에 정해졌으니 나로서는 전에 살던 주인이 나쁜 마음을 먹었다고밖에 달리 생각할 도리가 없었다. 도대체 어떤 사람일까 궁금해서 경비실에 물어 보았더니 학교 선생님이라고 했다. 그런 사람이 어떻게 교단에 서서 아이들을 가르칠 수 있을까 하는 생각이 들었다.

내 글이 월간지에 실리고 나서 얼마 있다가 집으로 걸려온 전화를 우리 운전 기사가 받았다. 전에 우리 집에 살던 사람인데, 자기는 그런 몰지각한 짓을 한 기억이 나지 않는다며 무슨 착오가 있는 것 아니냐고 했다. 우리 기사가 날짜까지 따져 가며 확인하자 자기네가 잘못한 게 틀림없다며 언제 시간을 내 주면 찾아와서 사과하겠다는 것이었다.

우리 기사는 이렇게 전화를 걸어 준 것만으로도 고맙다고, 일부러 찾아오지 않아도 괜찮다고 대답하고 전화를 끊었다. 그의 말에 따르면 목소리나 말투로 봐서 우리가 생각한 것처럼 나쁜 사람은 아닌 것 같다고 했다. 나도 기분이 흐뭇했다.

그로부터 며칠 후 이번에는 내 기사를 실은 신문사에서 연락이 왔다. 경기도 교육청에서 전화가 왔는데 내가 언급한 교사를 찾아서 징계하고 싶다는 것이었다. 나는 당사자가 우리 집에까지 전화를 걸어서 사과했으니 더 이상 문제삼지 않았으면 좋겠다고 대답했다.

이런 일도 있었다. 평소에 위층에서 하도 쿵쾅거리는 소리가 심해 불만이 많았는데, 우연히 엘리베이터에서 중고생으로 보이는 학생 둘이서 11층 버튼을 누르는 걸 목격했다. 혹시나 하고 몇 호에 사느냐고 물어 보았더니 마침 바로 우리 윗집 아이들이었다. 나는 집안에서는 조용히 걸어다녀야 아래층 사람에게 피해를 주지 않는다며 그 아이들을 꾸짖었다. 그러고 나서 집으로 들어왔는데 조금 있으니 인터폰이 울렸다. 위층 아주머니였다. 나는 처음에 그 아주머니가 우리 아이들이 시끄럽게 굴어서 미안하다고 사과하려는 줄 알았다. 그런데 그게 아니었다. 오히려 우리 아이들이 언제 뛰어다녔다고 그러냐며 따지는 것이었다.

나는 그 아파트에 혼자 산다. 그나마 외국에 나가 있을 때가 많고, 한국에 있을 때에도 집에 있는 시간은 얼마 되지 않는다. 그래서 이웃 주민하고 마주칠 일도 별로 없다. 그런 내가 시끄럽지도 않은 걸 시끄럽다고 굳이 시비를 걸 이유가 어디에 있단 말인가.

그 후 텔레비전 방송국에서 밀착 취재를 했다. 카메라가 출근길에 나서는 내 뒤를 따라왔는데, 아파트 복도에는 여느 때와 마찬가지로 아이들 자전거가 아무렇게나 팽개쳐져 있어서 걸음을 옮길 수 없을 지경이었다. 나는 자전거를 한쪽 옆으로 치우며 "가정교육이 제대로 되면 이런 일은 없을 겁니다"라고 말했고, 그것이 텔레비전으로 방송되었다.

공중 도덕과 교통 법규 준수는 어디서 누구를 만나든 때와 장소를 가리지 않고 끊임없이 이야기하는 나의 지론 비슷한 것이다. 거기에 한 가지 덧붙인다면 그 두 가지를 제대로 지키기 위해서는 어릴 적부터 가정 교육이 가장 중요하다는 것이다. 어쩌면 이것이 내가 이 책을 통해 이야기하고 싶은 내용의 전부인지도 모른다. 그것만 되면 한국 사회가 안고 있는 나머지 온갖 문제는 저절로 해결될 것이기 때문이다.

잡지나 텔레비전을 통해 내가 이야기하고 싶은 것도 바로 그것이었다. 그런 이야기를 하면서 무심코 예를 들어 설명하다 보니 옆에서 쉽게 찾아볼 수 있는 현상이 눈에 띄었을 뿐이지 특별히 이웃 주민을 비난하려는 게 아니었다. 혹시 그런 나의 언급을 불쾌하게 받아들인 분들이 있다면 이 자리를 빌려 심심한 사과의 뜻을 전한다. 왜냐하면 남을 돕지는 못할망정 피해를 주어서는 안 된다는 내 생활 신조에서 벗어나기 때문이다.

공동 주택에서 생활하는 일본 사람들은 밤 10시 이후에는 샤워기를 사용하지 않는다. 누가 시켜서 그러는 것이 아니고, 강제 규정이 있는 것도 아니다. 다만 이웃집에서 밤늦게 샤워기를 사용하면 물소리가 시끄럽고 성가시게 들리기 때문이다. 자신이 그런데 남인들 기분 좋을 리가 없다. 그래서 안 하는 것이다.

이것은 붙잡고 앉아 가르친다고 하루아침에 되는 게 아니다. 그저 어려서부터 남을 배려하는 마음이 자연스럽게 몸에 배어야 한다. 그러기 위해서는 철저한 가정 교육말고는 달리 방법이 없다. 교육학자들의 말을 들어 보면 근본적인 가정 교육은 이미 두 살에서 세 살 정도면 대충 마무리된다. 한국에도 '세 살 버릇 여든까지 간다'는 속담이 있지 않은가.

대가족 제도가 붕괴된 이후 한국 가정에는 전형적인 삼각 구조가 정착되었다. 양쪽에 남편과 아내가 있고, 다른 한쪽 꼭지점에는 자식이 있다. 그런데 이 삼각형의 무게 중심은 철저하게 자식에게 치우쳐 있다.

젊은 부부들이 서로를 부를 때 어떤 호칭을 쓰는지 보면 이를 명확히 알 수 있다. 십중팔구는 'OO아빠' 'OO엄마'로 부른다. 이웃집 아저씨나 아주머니를 부를 때도 마찬가지다. 그만큼 한국 가정에서는 자식을 가장 우선시한다.

그렇게 귀하고 소중한 존재다 보니 자식의 결점이 웬만해서는 눈에 보이지 않는다. 당장 밥을 굶어야 할 지경이라도 아이들 과외는 시켜야 한다. 방법만 있다면 어떻게 하든 내 자식만은 군대에 보내고 싶지 않다. 이건 숫제 자식을 키우는 게 아니라 떠받드는 것이다.

내가 어렸을 때 동생하고 싸움을 하면 아버지는 칼 두 자루를 우리 앞에 꺼내 놓았다. 이왕 싸우려면 '확실하게' 칼을 들고 싸우라는 뜻이다. 그렇게 해서 누구 하나가 죽어 버리면 더 이상 너희 싸우는 꼴 보지 않아도 될 거라고 말씀하셨다.

이것은 전혀 교육적인 처사가 아니라고 생각하는 사람이 많을 것이다. 나 자신부터 내 아버지가 괴팍한 성격의 소유자였다고 생각한다. 그러나 가정 교육을 제대로 하려면 아버지가 그 정도로 확실한 모습을 보여 주어야 한다. 그래야 어른이 되어도 남에게 피해 주지 않고 항상 감사하며 살아가는 습성을 몸에 익힐 수 있다.

한국에서 몇 손가락 안에 꼽히는 대형 백화점을 경영하는 친구가 어느 날 나에게 이런 하소연을 늘어놓았다.

"이케하라 상, 일본에서는 어느 백화점에 가나 엘리베이터 걸이 상냥하게 웃는 얼굴로 고객에게 인사하는데, 우리 아가씨들은 아무리 말을 해도 되지 않아요. 언제 하루만 시간 내서 우리 아가씨들 교육 좀 시켜 주세요."

나는 껄껄 웃으면서 이렇게 대답했다.

"그건 하루 이틀 교육시킨다고 될 일이 아닙니다. 아가씨들한테 진심에서 우러나오는 미소를 가르치고 싶으면 어머니 뱃속으로 다시 들어갔다 나오라고 하세요."

물론 농담이지만 완전한 농담만은 아니다. 아무리 훌륭한 연기자라 해도 강요된 웃음을 진심에서 우러나오는 것과 똑같이 지어 보일 수는 없는 법이다. 어려서부터, 아니 어머니 뱃속에서부터 남에게 감사하는 마음을 기르기 위해서는 무엇보다도 가정 교육이 중요하다. 비단 나만의 생각은 아닐 것이다.

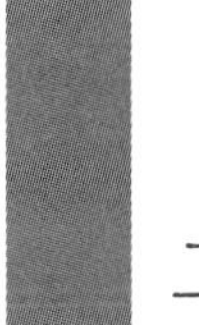

그 작은 나사못 하나

중요한 것은 기술이 아니라 마음이다. 내가 만든 물건, 내가 지은 건물을 이용하는 사람들이 나에게 감사하는 마음을 느끼도록 하겠다는 개개인의 각오가 없는 이상 한국은 세계 무대의 주인공이 될 수 없다.

나는 전에 한국 최고라는 건설회사에서 지은 아파트에 산 적이 있다. 그 아파트에는 물이 빠져 나가는 구멍이 욕실, 주방, 베란다 등 세 군데 있었는데, 막상 살아 보니 단 한 군데도 물이 제대로 빠지는 곳이 없었다. 어떻게 된 건가 살펴보았더니 하수구 구멍이 다른 데보다 더 높았다. 세상에, 물이 높은 곳에서 낮은 곳으로 흐른다는 것은 코흘리개 꼬마들도 다 아는 상식이다.

어디 한번 혼 좀 나 봐라 하고 단단히 마음먹고 건설회사에 전화를 걸었다. 그러나 정작 담당자의 답변을 들은 나는 기운이 쭉 빠져서 할 말을 잃고 말았다.

"아, 그건 우리가 직접 한 일이 아니라 하청을 준 업체에서 잘못한 겁니다. 그 쪽으로 연락해 보시죠."

한국 사람의 전형적인 책임 회피, 변명에 지나지 않는다. 건설

업체가 하청을 주었으면 그 하청업체가 하는 일까지 감독하고 관리해서 책임을 지는 게 당연하지, 하청업체가 한 일이니 자기네하고는 상관없다는 것이 도대체 말이 되는 소리인가?

하자 보수인가 뭔가 해서 욕실하고 주방은 고쳤지만, 베란다의 하수구는 끝내 고치지 못했다. 물이 제대로 빠져 나가게 하려면 베란다 바닥을 더 낮춰야 하는데, 그러면 안전에 문제가 생긴다는 것이다. 한국 최고의 건설회사에서 지은 아파트가 그 모양이라는 것을 믿을 수 있겠는가.

서비스 정신은 반드시 서비스 업종에 종사하는 사람에게만 해당하는 충분조건이 아니다. 그것이 무엇이든 물건을 만드는 사람 역시 비록 얼굴도 이름도 모르지만 내가 만드는 이 물건을 사용할 소비자를 언제나 염두에 두어야 한다. 그들에게서 "이렇게 좋은 물건을 만들어 준 사람이 누군지는 모르지만 참 고맙다"는 소리를 들을 수 있도록 노력하지 않으면 안 된다.

한때 일본 제품이 미국 시장에서 '싼 게 비지떡'이란 소리를 듣던 시절이 있었다. 일본 기업들은 그런 소리를 듣지 않고 제 값에 물건을 팔기 위해 죽기 살기로 기술개발에 매달렸다. 그 결과 지금은 누구나 일본 제품이라면 안심하고 구입하는 단계에 이르렀다.

일본 상품이 그렇게 치고 올라간 다음 그 빈 자리를 파고든 것이 한국 상품이었다. 품질은 떨어지지만 싼 맛에 잠시 쓰고 버린다는 생각으로 한국 제품을 찾는 고객이 많았다. 단적으로 말하자면 주로 흑인들이 코리아 가게에 가고 돈 있는 사람은 일본 가게에 가서 물건을 사는 그런 시절이 있었던 것이다.

그런데 요즈음에는 품질은 떨어지는 대신 값이 싼 제품은 태국을 비롯한 동남아나 중국 몫이 되어 버렸다. 한국의 인건비는 비교할 수 없이 올라갔지만 품질은 제자리니 얼마 못 가 인건비가 더 싼 동남아 제품을 감당할 길이 없어졌다. 결국 비싼 제품은 기술이 모자라고, 값싼 제품은 가격 경쟁력에서 밀리는 샌드위치 신세가 되어 버린 것이다.

서비스는 곧 마음이다. 그러나 한국 사람들은 이런 인식이 부족하다. 수출을 해도 물건만 납품하면 그만이라는 생각을 하는 것이다. 한국 업체에서 만든 방음벽을 일본으로 수출하는 과정에서 내가 중간 다리를 놓은 적이 있는데, 이때에도 한국 사람들의 안일한 생각 때문에 수없이 곤욕을 치러야 했다.

일본에서는 워낙 도로망이 거미줄처럼 뻗어 있기 때문에 방음벽 수요가 아주 많다. 방음벽은 언뜻 보기에 구조가 간단하고 별다른 기술도 필요하지 않은 단순한 제품인 것처럼 보인다. 당시 나는 크게 신경쓰지 않아도 일본 쪽 요구 조건을 맞추는 데 별 어려움이 없을 것이라고 생각하고 수출 건을 추진했다.

방음벽의 종류는 여러 가지인데 앞면은 알루미늄, 뒷면은 철판을 쓰고 그 사이에 석면을 넣어 소음을 흡수하도록 만든 것이 가장 보편적이다. 알루미늄과 철판을 접합시키기 위해서는 드릴로 구멍을 뚫고 리벳을 박아 고정시켜야 한다. 재료와 장비만 있으면 누구나 할 수 있을 정도로 간단한 공정이다.

그런데도 물건을 납품하기 위해 검사를 해 보면 불량률이 무려 50퍼센트에 육박하는 어처구니없는 사태가 벌어졌다. 한국 사람들은 틀림없이 발주자가 요구하는 대로 제품을 만들었는데 왜 불량이냐고 펄쩍 뛰었다. 물론 겉으로 보기에는 문제가 없었다. 문제는 항상 눈으로 쉽게 확인되지 않는 곳에서 비롯된다.

방음벽 재료인 알루미늄과 철판 겉면은 도금되어 있다. 그런데 이 두 가지 재질을 접합시키기 위해 드릴로 구멍을 뚫으면 잘려 나온 부스러기가 내부에 붙어 있게 된다. 원래 이 부스러기를 공기총으로 불어서 깨끗이 제거한 다음 리벳을 박아야 하는데, 한국 사람들이 이 공정을 무시하고 그냥 리벳을 박아 버린 것이다. 그러면서 부스러기는 알루미늄과 철판 사이에 끼여 겉에서는 보이지도 않는데 무슨 상관이 있느냐고 항변했다.

바로 이것이 한국 사람과 일본 사람의 차이이다. 일본 사람은 자신에게 주어진 일이라면 철저하게 작업 지시를 따른다. 이유 같은 것은 필요 없다. 그냥 시키는 대로 완벽하게 처리해 주면 된다.

하지만 한국 사람들은 머리가 좋아서 그런지 자기가 생각하기에 필요하다고 판단되지 않으면 건너뛰어 버린다. 겉보기에는 아무런 차이도 없는데 무슨 상관이냐는 것이다. 그래 놓고는 남들이 열 개 만드는 동안 우리는 스무 개를 만들었다고 자랑한다.

방음벽을 제작할 때 부스러기를 제거하든 하지 않든 겉보기에는 차이가 나지 않는다. 그러나 한 번만 비가 오면 그 차이가 여실히 드러난다. 알루미늄이든 철판이든 겉면은 도금되어 있지만 드릴이 들어가면서 잘려 나온 부스러기는 그렇지 않아 비가 오면 대번에 녹이 슬고 녹물이 겉으로 흘러 나와 벌건 줄이 죽죽 생긴다.

일본 사람들은 도로가에 병풍처럼 늘어선 방음벽에서 리벳을 박아 놓은 구멍마다 녹물이 흘러 나오면 얼마나 보기 싫은지 잘 알기 때문에 처음부터 그런 요구를 한다. 하지만 한국 사람들은 미처 그런 것까지 신경쓸 여유가 없기도 하거니와 설사 알고 있다 하더라도 자신의 불찰을 인정하지 않는다.

"아니, 방음벽이 소음만 제대로 차단하면 되지, 미관상 조금 보기 나쁜 게 뭐 그리 큰 문제라고 납품을 받지 않겠다는 겁니까?"

궁극적으로는 바로 이 조그만 차이가 성수대교를 무너뜨리고 삼풍백화점을 무너뜨리는 엄청난 결과를 초래한 것이다. 그런 대형 사고가 터지면 언론마다 수중 카메라를 집어 넣어 한강 다리의 안전도를 조사한다 어쩐다 하면서 떠들썩하지만, 조금만 시간이 지나면 잠잠해진다.

그런가 하면 당산철교는 전문가들이 보수만 하면 된다고 하는데도 부득부득 다시 짓겠다고 뜯어내기도 했다. 그러고는 정작 성수대교 붕괴 당시 수중 카메라에 잡힌 부식된 교각들이 말끔히 보수되었는지에 대해서는 말이 없다.

이유야 어찌 되었건 다리가 무너진다는 것은 상상도 할 수 없는 일이다. 유럽에는 1천 년, 2천 년을 꿋꿋하게 버티고 있는 다리들도 있다. 성수대교는 15년 동안 수많은 차량과 사람이 통행하는 바람에 더 이상 하중을 감당하지 못했다고 하지만, 완공되기도 전에 무너져 버린 다리는 도대체 어떻게 설명할 수 있는가.

한국 건설업체들은 중동이나 동남아 등지에서 많은 실적을 쌓았다. 그러나 한국 업체들이 지은 그 많은 공장과 건물이 무너지거나 망가졌다는 소문을 들어 본 기억이 없다. 오히려 가장 짧은 시간에 공사를 마치면서도 튼튼하고 안전하다는 칭찬이 자자하다. 그런 한국 업체가 왜 국내에서는 그렇게 튼튼하고 안전한 구조물을 만들지 못하는가. 외국에서 실적 올리는 것만 중요하고 막상 내 조국 국민은 사고로 죽어도 괜찮다는 말인가.

나는 그 이유를 이렇게 생각한다. 외국에서 시공을 할 때에는 외국 업체들의 감리를 철저하게 받아야 한다. 그렇기 때문에 사고가 일어나지 않는다. 그러나 한국에서는 시공도 감리도 모두 한국 업체들끼리 하기 때문에 방심하게 되는 것이 아닐까.

결국 중요한 것은 기술이 아니라 마음이다. 내가 만든 물건, 내가 지은 건물을 이용하는 사람들이 나에게 감사하는 마음을 느끼도록 하겠다는 개개인의 각오가 없는 이상 한국은 세계 무대의 주인공이 될 수 없다.

박세리와 박찬호

누가 나에게 박세리와 박찬호를 비교하라고 한다면 나는 박찬호가 거둔 성적은 박세리에 비해 10분의 1도 채 안 된다고 말하고 싶다. 박찬호가 '별볼일' 없다는 것이 아니라 박세리가 그 정도로 대단하다는 뜻이다.

한국 사람들에게 제일 좋아하는 젊은이를 들라면 박찬호와 박세리를 꼽는 데 주저하지 않을 것이다. 그 두 사람은 광고다 뭐다 해서 밤낮 텔레비전과 신문에 얼굴이 실려 대한민국 국민에게 배우 못지않게 친밀한 얼굴이 되었다. 박찬호 선수를 볼 때마다 나는 마음속으로 저 친구 참 행복하겠다고 생각한다. 그가 메이저리그에서 성공을 거둔 몇 안 되는 동양 사람이기 때문이 아니다. 그보다는 한국에서 박세리와 대등한 대접과 인기를 누리고 있다는 사실 때문이다.

나는 젊었을 때 프로 야구 전문 기자 생활을 한 적이 있어 야구라는 스포츠를 비교적 잘 아는 편이다. 학생 때에는 비록 아마추어지만 야구 선수로 활약하기도 했다. 물론 '광적' 이라는 소리를 들을 만큼 골프도 좋아한다.

누가 나에게 박세리와 박찬호를 비교하라고 한다면 나는 박찬호가 거둔 성적은 박세리에 비해 10분의 1도 채 안 된다고 말하고 싶다. 박찬호가 '별볼일' 없다는 것이 아니라 박세리가 그 정도로 대단하다는 뜻이다.

야구 선수가 메이저 리그에서 투수로 활약하며 한 해 15승을 올린다는 것은 개인의 영광이요 국가의 자랑이 아닐 수 없다. 그러나 그가 한국 사람이라는 점, 얼굴이 잘생기고 매너까지 좋다는 점을 제외하면 메이저 리그에서 15승을 올리는 투수는 박찬호 혼자만이 아니다.

그러나 박세리는 다르다. 메이저 리그 야구 선수와 비교하자면 1998년에 메이저 리그 홈런 신기록을 갈아치운 마크 맥과이어나 새미 소사하고 맞먹는 수준이다. 데뷔 첫해에 미국 LPGA 무대에서 4승을 기록했다는 것, 그 4승 가운데 2승이 메이저 타이틀이라는 것은 여자 골프 역사상 좀처럼 수립하기 힘든 대기록이다.

더군다나 박세리는 스무 살을 갓 넘긴 앳된 소녀다. 알다시피 여자 나이 스물이면 육체적으로도 완전한 성인이 아니어서 계속 성장하는 중이다. 대한민국의 시골 소녀 박세리가 그 어린 나이에 전세계를 통틀어 가장 뛰어난 성적을 냈다는 것은 확실히 믿기 힘든 일이 아닐 수 없다.

골프를 쳐 본 사람이라면 이토록 박세리를 극찬하는 이유를 잘 알 것이다. 골프는 여느 스포츠와는 다르다. 아무리 뛰어난 자질을 타고났다 하더라도 끊임없이 반복되는 훈련과 실전 경험이 필요하다.

그것만으로도 안 된다. 기계적일 만큼 스윙 동작이 완벽하다 해도 꾸준히 좋은 성적을 낼 수가 없다. 시종일관 한 순간도 흐트러지지 않는 고도의 집중력이 필요하기 때문이다. 이동중에 캐디가 무심코 던진 말 한마디 때문에 공이 엉뚱한 곳으로 날아가는 것이 골프라는 스포츠다.

세계적인 골프 선수가 되기 위해서는 자연의 흐름에 자기 자신을 맞추어 가는 적응력이 필요하다. 코스의 지형지물을 읽는 눈은 기본이고 날씨, 온도, 습도, 바람의 방향과 강도, 잔디의 특성, 심지어 퍼팅 순간 홀컵 앞을 지나가는 개미 한 마리에 이르기까지 골퍼에게 영향을 미치는 자연의 변수는 실로 무궁무진하다.

그러한 변수를 일일이 계산해서 대처하겠다고 생각하면 세계 최고의 슈퍼 컴퓨터를 가져와도 안 된다. 경험과 직관을 통해 그때그때 가장 효과적인 방법으로 대처하는 것, 좀 거창하게 말하면 자기 자신을 자연의 일부로 동화시키는 것말고는 다른 방법이 없다.

이 모든 것을 스무 살을 갓 넘긴 한국 소녀가 거의 완벽에 가깝게 해냈다. 어떤 면에서 박세리는 대한민국이 낳은 최고의 영웅이라 해도 과언이 아니다. 그러나 그런 박세리를 대하는 한국 사람들의 태도는 너무나 이상하다. 어쩌면 거기에 내가 이 책에서 말하고자 하는 한국 사회의 문제점이 집약되어 있는지도 모른다.

먼저 '영웅'을 키워 내지 못하는 풍토가 문제다. 한국 사람에게 역사적으로 가장 존경하는 인물이 누구냐고 물었을 때 빠지지 않고 거론되는 위인들을 생각해 보라. 그 인물이 임금이든 군인이든 학자든 한국 사람들만의 영웅이 아니라 전세계적으로 인류의 발전에 지대하게 공헌한 인물이 떠오르는가?

혹자는 한국이 아직까지 세계의 중심에 서 본 적이 없기 때문에 널리 알려지지 않아서 그렇지, 알고 보면 위대한 인물이 많다고 주장할지도 모른다. 내 말이 그 말이다. 한국이 낳은 위인들의 업적을 폄하하려는 것이 아니라, 세계적인 인물이 있는데도 아직까지 노벨상 수상자를 한 사람도 내지 못했다는 것은 한국 사람들이 영웅을 키워 내는 데 무기력했거나 아니면 무관심했다는 반증에 다름아니다.

박세리 역시 마찬가지다. 박세리는 이제 한국뿐만 아니라 세계 스포츠계의 영웅으로 올라서는 첫걸음을 떼어 놓은 셈이다. 그러니 이제부터가 더욱 중요하다. 앞으로도 꾸준히 지금과 같은, 아니 지금보다 더 뛰어난 성적을 거두지 못한다면 머지않아 기억의 저편으로 사라져 가는 '반짝 스타' 신세를 면하지 못할 것이다.

그렇게 되지 않기 위해서는 당연히 본인이 더 큰 노력을 기울여야겠지만, 박세리에게 관심과 애정을 가지고 있는 한국 사람들도 반성해야 할 점이 있다. 단적인 예로 1998년 여름께 박세리의 성적이 절정에 달했다가 그 뒤로 우승을 못하자 대번에 한국 사람들 사이에서는 '별것 아니잖아' 하는 소리가 나오기 시작했다.

그런가 하면 모처럼 조국을 찾아왔는데 잠시도 쉴 틈을 주지 않고 이리저리 끌고 다닌 끝에 기어이 앓아 눕게 만들고 말았다. 이렇게 호들갑에 가까운 지나친 관심은 성적이 조금 부진하다고 해서 금방 냉담해지는 태도만큼이나 박세리 본인에게 부담이 될 것이 분명하다.

박세리가 아무리 강인한 정신력을 지녔다고 한들 당장 눈앞의 성적에 따라 일희일비를 거듭하는 동포의 열화와 같은 성원을 언제까지 견뎌 낼지 걱정이다. 또한 박세리의 인기에 편승해 어떻게든 자신을 알리거나 경제적인 이득을 챙겨 보겠다고 설치는 사람이 많은 것도 걱정스럽기는 마찬가지다. 자칫하다가는 황금알을 낳는 거위를 자기 손으로 죽여 버리는 어리석은 행동을 하는 사람이 나올지도 모른다.

이는 세계적인 차원에만 국한된 문제가 아니다. 한국 국내에서도 정치계든 경제계든 학계든 누군가 군계일학처럼 돋보이는 능력을 발휘하면 이내 나머지 사람들이 똘똘 뭉쳐서 뒷다리 잡기 작전에 들어간다.

어느 분야에서든 박세리와 같은 슈퍼 천재는 그리 자주 나오지 않는다. 어쩌다 한번 그런 천재가 태어났을 때 주변 사람들은 물론 사회 전체가 그 천재의 자질이 충분히 꽃필 수 있도록 뒷받침해 주어야 한다.

가장 큰 문제는 틀에 박히고 앞뒤가 꽉 막힌 한국의 교육 제도다. 천편일률적인 교육 제도에 적응하려면 아무리 뛰어난 천재도 천재이기를 포기해야 한다. 견디지 못하고 뛰쳐나가 버리면 '모난 돌이 정 맞는다'는 식으로 더 빨리 시들어 버린다. 유일한 탈출구는 일찌감치 외국으로 유학가는 길밖에 없다.

그러기 위해서는 부모를 잘 만나거나 박세리처럼 든든한 후원자라도 만나야 한다. 박세리가 후원자를 만날 수 있었던 것은 운동 선수였기 때문이다. 이른바 스포츠 마케팅이라고 해서 박세리가 회사 이름이 새겨진 모자와 옷을 입고 텔레비전에 모습을 드러낼 때마다 그 후원사에서는 투자 비용과 광고 효과를 계산하느라 분주하다.

스포츠 분야가 아닌 예술이나 과학 같은 분야라면 어떨까? 아무런 계산이나 사심 없이, 국민과 나라 덕분에 성장하고 돈을 번 기업들이 사회에 그 은혜를 갚는다는 순수한 입장에서 각 분야의 인재를 키워 내야 한다.

박세리를 보면서 또 한 가지 드는 생각은 그야말로 '불 같은' 한국 사람들의 성격이다. 한국 사람들은 너무 빨리 흥분하고, 너무 쉽게 실망하며, 모든 것을 너무 빨리 잊어버린다. '은근과 끈기의 민족' 특유의 품성을 요즈음에는 좀처럼 찾아보기가 힘들다.

골프라는 운동은 앞에서 언급한 여러 가지 특성 때문에 다른 스포츠처럼 '연승가도'를 달리기가 불가능한 종목이다. 그런데도 한국 사람들은 박세리가 모든 대회에서 싹쓸이 우승하기를 기대한다. 애초부터 가능하지도 않은 기대를 품었다가 어긋나면 금세 실망해 버린다. 박세리가 앞으로 단 1년 간만 우승하지 못해도 한국 사람들은 그녀를 깨끗이 잊어버릴 것이다.

앞으로도 나는 박세리를 좋아하고, 유심히 지켜볼 것이다. 스윙폼이나 골프 클럽을 잡는 그립이 달라질 때마다 집중력을 방해하는 요인이 생기지 않았나 걱정할 것이다. 그렇게 꼼꼼히 그녀를 지켜보는 다른 한편으로 나는 한국 사람들이 그녀를 지켜보는 시선까지도 지켜볼 것이다.

아 참, 혹시라도 박찬호 선수가 이 글을 읽으면 기분이 그리 좋지 않을지도 모른다. 일본 선수 노모 히데요보다 뛰어난 활약을 펼치는 박찬호 선수한테 질투가 나서 일부러 그를 평가절하하는 것은 절대 아니다. 그러니 걱정 마시라. 박찬호 선수가 앞으로도 계속 지금과 같은 성적을 쌓아 나간다면 다음번 책을 쓸 때(언제가 될지는 알 수 없지만)에는 틀림없이 그를 한국인의 영웅으로 치켜세우게 될 테니까.

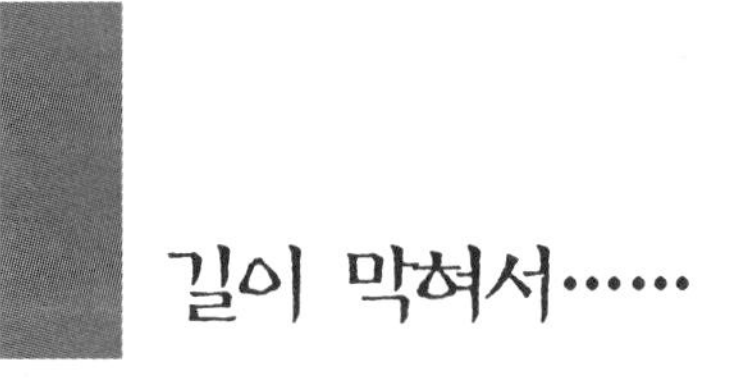

길이 막혀서……

길이 막혀서 늦었다는 말이 변명다운 변명이 되지 못한다는 것을 잘 알면서도 그 버릇은 고쳐지지 않는 모양이다. 출근 시간에도 10분만 일찍 서두르면 교통신호까지 위반해 가며 달리지 않아도 제시간에 도착할 수 있을 텐데.

내가 진심으로 존경하는 한국인 가운데 H보험회사에 근무하는 양아무개라는 분이 있다. 그는 예전에 가족을 모두 데리고 일본에서 생활한 적이 있었다. 당시 초등학교 4학년이던 아들을 학교에 보내야 했는데 한국 학생이 한 명도 없는 일본 학교를 골라서 아들을 전학시켰다. 물론 그 아이는 일본 말이라고는 한마디도 하지 못했다.

얼마 지나지 않아 아들의 입에서 "나 학교 가기 싫어" 하는 소리가 나오기 시작했다. 걸핏하면 선생님에게 야단을 맞는가 하면 다른 아이들이 못살게 군다는 것이었다. 하긴 다 큰 어른이라도 그런 상황에 놓이면 기가 죽게 마련인데 코흘리개 초등학생이 말도 통하지 않고 아는 사람 하나 없는 학교에 적응하기는 쉽지 않았을 것이다. 그런데도 그는 오히려 아들을 나무랐다.

"네가 한국 사람이기 때문에 다른 아이들의 놀림을 받는 것이 아니다. 물론 일본 말을 못하는 탓도 있겠지만 아직은 네가 학교 성적이나 친구 관계 등 모든 면에서 일본 아이들에게 뒤지는 것은 사실 아니냐. 그럴수록 더욱 열심히 노력해서 다른 아이들을 따라잡지 않으면 너는 어디 가서든 놀림받고 따돌림당하는 신세를 면하지 못할 거다."

그 말을 들은 아들은 이를 악물었다. 공부만 열심히 한 것이 아니라 모든 면에서 모범이 되기 위해 온갖 노력을 아끼지 않았다. 그 결과 아이는 초등학교 6학년이 되자 1, 2등을 다툴 정도로 출중한 학업 성적을 올리더니 전교 어린이 회장으로 선출되었다. 그 때를 회상하며 그는 나에게 이렇게 말했다.

"일본 사람들, 정말 대단하더군요. 세계 어느 나라를 가도 외국에서 온 아이에게 학생 대표를 시켜 주는 경우는 없을 테니 말입니다."

그러나 내가 보기에 정말로 대단한 사람은 바로 양아무개 본인이었다. 외국인이든 내국인이든 능력이 되고 남을 이끌 만한 리더십을 갖추고 있으면 회장이 되는 건 당연하다. 나로서는 일본 말 한마디 할 줄 모르는 자기 자식을 일부러 아는 사람이 아무도 없는 학교에 보냈다는 그의 결정이 대단해 보인다.

같은 나라 사람이 있으면 아무래도 서로 의지하려는 마음이 생기게 마련이다. 물론 동포끼리 서로 돕고 의지하며 살아가는 것도 좋은 일이기는 하다. 그러나 외국인의 몸으로 본토박이들하고 당당하게 경쟁하기 위해서는 처음부터 변명의 여지를 완전히 없애 버리는 용기가 필요하다.

이것은 말처럼 쉬운 일이 아니다. 그래서 유학생들 대부분은 한 사람이라도 자기 나라 학생이 있는 곳으로 가고 싶어한다. 그런 점에서 나는 나약한 생각의 싹을 처음부터 잘라 버리고 모든 것을 혼자 힘으로 헤쳐 나가는 독립심을 길러 주겠다는 그의 교육관에 깊은 감동을 받았다. 그러한 어려움을 이겨 내고 일본 사회에 훌륭하게 적응한 그 아들에게도 아낌없는 박수를 보낸다.

한국 사람 중에도 이런 훌륭한 교육관을 가진 아버지가 있다는 사실을 생각하면 희망을 느낄 수 있다. 그러나 그 후일담으로 접어들면 답답해져 오는 마음을 억누를 길이 없다.

그의 아들은 일본에서 우수한 성적으로 고등학교까지 마치고 거꾸로 한국으로 유학을 왔다. 그 정도 실력이면 일본에서 내로라하는 명문대학에 충분히 입학할 수 있었지만, 대학 공부만큼은 조국에서 하고 싶다고 생각한 것이다.

이번에도 얼마 못 가서 아들의 입에서 하소연이 흘러 나왔다.

"한국에서 도저히 공부할 수 없어요. 일본으로 돌아가고 싶어요."

서울에서 대학 생활을 하던 중 일본 유학 경험이 있는 몇몇 학생과 함께 회고담을 쓰는 일에 참여했는데 자기가 쓴 글이 일본 사람들에게 너무 우호적이라는 이유로 거절당하고 말았다는 것이다.

내가 이 일화를 소개하는 것은 한국 사회가 '변명 사회'라는 점을 지적하기 위해서다. 양아무개는 애당초 아들이 변명을 늘어놓을 수 있는 여지를 없애 버리기 위해 노력했지만, 그런 사람은 별로 흔하지 않다.

한국 사람들은 대부분 무슨 말만 하면 '아니오, 그게 아니라……' 하는 변명부터 튀어나온다. 가만히 들어 보면 결국 똑같은 소리를 하면서도 일단은 상대방의 말을 부정하고 본다. 아무리 옳은 말을 해도 '예, 맞습니다' 하고 선선히 인정할 줄을 모른다.

물론 자신도 모르는 사이 몸에 배어 버린 언어 습관이겠지만, 듣기에 따라서는 상대방에게 상당한 불쾌감을 줄 수 있다. 특히 그것이 악의 없는 습관일 뿐이라는 사실을 모르는 외국인들은 한국 사람들의 이런 버릇 때문에 당혹스러워하는 경우가 많다.

한국 사람들은 약속 시간을 잘 지키지 않는다. 그러고는 어김없이 '길이 막혀서……' 라고 변명을 늘어놓는다. 하지만 알고 보면 약속 시간이 다 되어서야 출발하는 사람이 많다. 사람을 만나다 보면 다음 약속이 있다는 것을 내가 뻔히 아는데도 눌러앉아서 일어날 생각을 하지 않는다. 오히려 내가 마음이 급해져서 그만 가봐야 되지 않느냐고 물으면 "괜찮아요, 기다리겠죠 뭐" 하고 대답한다. 그래 놓고는 또 길이 막혀서 늦었다고 변명할 것이다.

나는 나하고 약속을 했다가 세 번 이상 시간을 어기는 사람은 그 다음부터 절대 만나지 않는다. 상대가 아무리 높은 사람이라 해도, 그 사람을 통해 내가 큰 이익을 볼 수 있다 해도 마찬가지다.

길이 막혀서 늦었다는 말이 변명다운 변명이 되지 못한다는 것을 잘 알면서도 그 버릇은 고쳐지지 않는 모양이다. 출근 시간에도 10분만 일찍 서두르면 교통신호까지 위반해 가며 달리지 않아도 제시간에 도착할 수 있을 텐데.

일본의 직장인들은 지하철이 연착해서 지각을 하면 철도 회사에서 확인서를 떼어다가 회사에 제출한다. 이렇게 하면 변명이 아니라 타당한 사유로 인정받을 수 있다. 철도 회사는 15분 이상 연착했을 때 승객이 요구하면 반드시 확인서를 떼어 주도록 되어 있다.

한번은 중요한 비즈니스 관계로 한국의 어느 기업체 사장과 만나기로 약속을 했다. 그 약속을 지키기 위해 나는 일본에서 부랴부랴 비행기를 타고 날아왔는데, 세 시간을 기다려도 만나기로 한 사람이 나타나지 않는 것이었다. 전화로 확인해 보았더니 그 사장은 그때서야 출발하겠다는 것이 아닌가. 그러면서 한다는 말이 나하고 약속이 잡혔다는 사실을 전달받지 못했다는 것이다.

한국 사람들이 자주 써먹는 수법인데, 이것 역시 변명에 지나지 않는다. 물론 나는 그 사람하고 직접 약속을 한 것은 아니다. 그러나 사장 밑에 있는 전무를 통해 약속을 했다면 사장하고 직접 약속한 것이나 마찬가지 아닌가. 사장이 나한테 거짓말을 했다고는 생각하지 않지만, 시간 약속 하나 제대로 전달하지 못하는 사람이라면 한 회사의 전무라는 중책을 맡을 자격이 없다.

세계 어느 나라에나 변명하기 좋아하는 사람들은 있다. 그러나 자신의 입장을 옹호하기 위해 늘어놓는 변명이 오히려 부정적인 효과를 초래할 뿐이라는 사실을 한국 사람들은 잘 모르는 듯하다.

나는 비행기를 굉장히 자주 타는 사람이다. 그런데 김포 공항에서 정각에 이륙하는 비행기를 타 본 기억은 거의 없다. 일본까지는 고작 1시간 40분이면 날아가는 거리인데도 30분이나 1시간쯤 기다리는 것은 다반사다. 이제는 승객들도 익숙해져서 누구 하나 불평하는 사람이 없다. 비행기 시간표만 보고 약속 시간을 정했다가는 낭패보기 십상이다. 그래서 나는 일본에서 약속이 있을 때에는 반드시 하루 전, 최소한 몇 시간이라도 여유를 두고 김포 공항을 떠난다.

하긴 한국의 텔레비전 역시 예고된 시간에 정확하게 시작하는 프로그램이 9시 뉴스말고는 하나도 없다. 방송국조차 국민에게 한 약속을 밥 먹듯이 어기는 나라, 한국은 정녕 영원한 코리언 타임의 나라인가.

한번 쥐면 절대 안 놓지, 마이크

"한국 사람을 받기 시작하면 일본 사람에게는 노래 부를 기회조차 오지 않아요. 마이크 한번 쥐면 절대 안 내주고 혼자서 다 하려고 들거든요."

한국 사람처럼 노래하기 좋아하는 사람도 많지 않을 것이다. 술 한잔하고 기분 좋아지면 너나없이 노래방으로 직행하는 문화를 보면 말이다. 서울 H동에 가면 일본 사람들이 즐겨 찾는 가라오케가 있다. 다른 업소에 비해 일본 노래가 상당히 많이 준비되어 있고, 종업원들도 대부분 일본 말을 웬만큼 할 줄 알기 때문에 일본인 단골이 많다.

그러다 보니 이 업소 주인은 언제부턴가 한국 손님은 아예 받지 않기로 방침을 정한 모양이다. 물론 일본 사람과 동행하면 들어갈 수 있지만, 그렇지 않은 한국 사람은 출입을 통제한다.

하루는 이 가라오케에 한국 사람 몇이 와서 한바탕 소란을 벌였다. 여기는 분명히 대한민국 땅인데 왜 대한민국 사람이 못 들어가냐고 따지며 소동을 일으킨 것이다. 이미 다른 곳에서 거나하게 술을 마시고 왔는지 말투 자체가 다분히 시비조였지만, 마담이 슬기롭게 달래서 돌려보냈다.

내가 나중에 마담을 불러서 한국 손님을 받지 않는 이유를 물었더니 대답이 이랬다.

"한국 사람을 받기 시작하면 일본 사람에게는 노래 부를 기회조차 오지 않아요. 마이크 한번 쥐면 절대 안 내주고 혼자서 다 하려고 들거든요. 우리로서는 일본 사람들이 가장 중요한 고객인데, 노래를 부를 수 없는 가라오케에 당신들이 찾아오겠어요?"

일리 있는 말이었다. 나도 한국 친구들을 따라 일반 가라오케나 단란주점 같은 데를 더러 다녀 보았는데, 가만히 보니까 손님들끼리 시비가 붙는 경우가 적지 않았다. 마이크를 한번 잡으면 도무지 놓을 줄 모르니 다른 손님들이 참다못해 한마디 하면 그게 빌미가 되어 싸움으로까지 번지는 것이다.

어쩌면 한국에서 유난히 룸 살롱이 발달한 것도 그런 이유 때문이 아닐까 싶다. 일본에도 룸 살롱이 없는 것은 아니지만, 보통 탁 트인 공간에 서로 모르는 여러 팀이 함께 앉아 술을 마셔도 시비가 붙는 일은 별로 없다. 노래를 할 때에도 자기 차례가 끝나면 미련 없이 다음 사람에게 마이크를 넘겨 준다.

한국 사람들은 같은 일행끼리는 아주 유대감이 강하고 단결도 잘 된다. 하지만 그런 일행이 여럿 모이면, 거기다 술까지 한잔씩 들어가면 십중팔구 시비가 생긴다.

왜 차례도 안 지키고 혼자만 노래하느냐고 싸우고, 노래도 못하면서 시끄럽게 소리만 지른다고 싸우고, 기분 나쁘게 쳐다봤다면서 또 싸운다. 그러니 아예 따로따로 방을 만들어서 같은 일행끼리 콩을 쑤던 메주를 쑤던 알아서 하라는 생각에 룸 살롱이 만들어진 것이 아닐까.

나는 노래를 썩 잘 부르지 못하지만 노래하는 걸 좋아하는 편이다. 그런데 노래방에서 노래를 부를 때 한국 노래는 가사를 보지 않고도 어지간히 따라 하지만 일본 노래는 꼭 가사를 보아야 부를 수 있다.

처음에는 한국에서 생활하니까 그만큼 한국 노래를 부를 기회가 많기 때문에 그런 모양이라고 생각했다. 그만큼 한국 생활에 익숙해졌다는 반증이 될 수도 있을 것이다.

그런데 최근 들어 나는 아주 재미있는 사실 하나를 발견했다. 내가 한국 노래를 더 잘 외우는 것은 일본 노래보다 짧기 때문이었다. 물론 요즈음 나오는 신세대 가요 중에는 긴 노래가 많다. 그러나 혀도 잘 돌아가지 않는 내가 그런 노래를 따라 부를 일은 없고, 대신 흘러간 가요를 애창하는 편이다. 그런데 곰곰이 생각해 보니 내가 즐겨 부르는 한국 노래는 거의 가사가 3절을 넘지 않는다. 대부분 2절에서 끝나고, 그나마 1절과 똑같은 후렴이 되풀이되는 경우가 많다. 내용 또한 비슷비슷한 게 많아서 사랑, 눈물, 이별, 슬픔 같은 중요한 단어만 적절히 배치하면 노래 몇십 곡쯤은 간단히 외울 수 있다.

이에 비하면 일본 노래는 상당히 길다. 말하자면 러닝 타임(노래 길이도 이렇게 표현하는 게 맞는지 모르겠다)이 길다는 게 아니라 가사가 길다는 의미다. 3절 정도는 기본이고 1절, 2절의 곡조가 되풀이되지 않고 처음부터 끝까지 멜로디가 다른 노래가 많다. 게다가 같은 가사가 반복되는 후렴은 아예 없다. 어휘 또한 굉장히 다양하다. 동서를 막론하고 대중가요의 중요한 주제가 '사랑' 이라는 점에서는 차이가 없지만, 같은 사랑을 노래해도 그 표현이 아주 풍부하고 아기자기하다.

이런 이야기를 하면 한국 사람들이 단골로 맞받아 치는 메뉴가 있다. 내가 아직 한국 말을 제대로 몰라서 그런 소리를 한다는 것이다. 예를 들어 '빨갛다' 는 표현만 해도 영어에는 레드, 일본 말에는 아카이밖에 없지만 한국 말에는 빨갛다, 벌겋다, 불그스름하다, 불그죽죽하다 등 수없이 많다는 것이다.

그 점은 나도 인정한다. 그러나 내가 말하는 것과는 각도가 약간 다르다. 예를 들어 '안개' 라는 단어를 보자. 한국어 사전을 뒤져 보면 '안개' 를 뜻하는 단어가 몇 개쯤 튀어나올지 모르지만, 한국 사람한테 '안개' 의 다른 표현으로 뭐가 있는지 물어 보면 거의 대답하지 못한다.

하지만 일본 말에는 '안개' 를 뜻하는 단어가 적어도 예닐곱 개는 넘는다. 아사기리(あさぎり, 아침 안개), 미기리(みぎり, 저녁 안개) 외에 안개의 종류와 형태에 따라 모야(もや, 연기 같은 안개), 가스미(かすみ, 봄 안개), 소우운(そううん, 구름 같은 안개), 시후키(しふき, 물안개) 등이 있다. 게다가 사전 속에 묻혀 있지 않고 사람들이 일상 생활에서 직접 사용한다.

그렇게 다양한 표현을 적절히 구사해 가며 노래 가사를 만들다 보니 가만히 듣고 있으면 참 예쁘다는 느낌이 든다. 노래라는 것이 원래 무턱대고 감정만 앞세우기보다는 정조(情調)가 살아 있어야 예쁘게 만들어진다는 것이 내 생각이다.

가만 보면 한국 노래에는 '네가 나를 버리고 도망가면 십 리도 못 가서 발병 난다'는 식의 감정은 확실하게 드러나는데 사람의 마음을 움직이는 잔잔한 정조는 별로 느껴지지 않는다.

이것으로 일단 내가 일본 노래보다 한국 노래를 더 잘 외우는 이유는 나름대로 설명된 셈이다. 그렇다고 해도 왜 한국 노래가 일본 노래보다 짧은가 하는 점은 여전히 의문으로 남는다. 이에 대한 내 생각은 이렇다.

한국에는 정서를 담은 표현이 풍부하지 않은 대신 '욕' 하나만은 세계 어디에 내놓아도 뒤지지 않을 만한 수준에 올라 있다. 내가 말하지 않더라도 한국 사람이면 누구나 인정할 것이다.

세상에, 나는 처음 한국에 와서 점잖은 사람들이 아무렇지도 않게 입버릇처럼 내뱉는 말이 영어로 하면 'Jesus!'나 'Oh, My God' 정도에 해당하는 감탄사인 줄 알았다. 물론 그런 표현도 종교적으로 따지고 들어가면 여러 가지 문제가 파생되겠지만 엄밀히 말해서 '욕'이라고 할 수는 없지 않겠는가.

그런데 한국 사람들이 흔히 '접두사' 비슷하게 사용하는 표현은 알고 보니 감탄사가 아니라 욕이었다. 조금 더 시간이 지나면서 그냥 욕인 정도가 아니라 구체적으로 무슨 의미인지, 어떻게 욕으로 쓰이게 되었는지 알고부터 나는 아주 기가 질려 버렸다.

책에다 쓰려니 좀처럼 입이 떨어지지 않지만 한국 사람이라면 내가 무슨 말을 하고 있는지 다들 알 것이다. 하도 많이 쓰다 보니 지금은 의미가 사라진 채 '욕'이라는 형식만 남아 코흘리개 초등학생들까지 무슨 뜻인지도 모르고 스스럼 없이 입에 담는다.

물론 일본 말에도 욕이 있다. 그러나 한국처럼 심하지는 않다. 당장 나더러 한국 욕하고 일본 욕을 대비시켜 하나씩 꼽아 보라고 하면 애당초 게임이 되지 않는다. 일본의 대표적인 욕이라고 하면 가장 먼저 떠오르는 것이 '바카야로' 다. 한국 사람들은 거기에 '조센징' 까지 덧붙여서 '조센징 바카야로' 하면 세상에서 제일 심한 욕이라고 생각한다.

물론 '바카야로' 가 욕인 것은 사실이다. 그러나 이 말을 한자로 쓰면 '마록야랑(馬鹿野郎)' 인데, '말과 사슴도 구분할 줄 모르는 바보 같은 녀석' 이라는 뜻이다. 더군다나 어른이 어린아이 머리를 쓰다듬으며 '바카야로' 할 때에는 욕이 아니라 '귀여운 녀석' 이라는 뜻으로 쓰인다.

노래도 마찬가지다. 단어 몇 개로 이루어진 짧은 시 한 편이 수십만 단어를 동원한 장편소설보다 더 큰 감동을 불러일으킬 수 있듯이, 노래 역시 가사가 길다고 해서 사람의 마음을 더 잘 표현했다고 볼 수는 없다. 수없이 많은 표현이 있음에도 말과 감정을 아껴서 이른바 '절제의 아름다움' 을 만들어 내는 것하고 달리 표현할 방법이 없어서 같은 소리만 계속 되풀이하는 것은 전혀 느낌이 다르다.

노래가 짧고 욕이 유난히 발달한 이유는 역사에서 그 뿌리를 찾을 수 있다. 과거 한국 사람들은 먹고 살기 빠듯한 가난 속에서 수없는 외세의 침략을 받으며 살아야 했다. 그런 어려움 속에서 살다 보니 노래말이 짧아졌고 감정을 승화시키는 여유를 찾기 힘들었던 것이 아닐까. 또한 일상적인 언어 생활에서 남한테 미안해 하거나 고마워하는 표현보다는 비난하고 저주하는 표현이 더 많은 것도 이와 같은 맥락에서 생각할 수 있을 것이다.

하지만 이제는 사정이 달라졌다. 한국은 더 이상 가난에 찌든

빈국이 아니며, 언제 외세의 침략을 받게 될지 몰라 전전긍긍하는 약소국도 아니다.

나는 그 증거를 한국에서 정명훈 같은 세계적인 예술가가 태어나기 시작했다는 사실에서 찾는다. 예술이란 무릇 생존 문제에서 벗어날 때 비로소 그 꽃을 피울 수 있다는 것이 나의 믿음이다.

러시아를 보자. 16~17세기 제정 러시아 때 얼마나 위대한 예술가가 많이 탄생했는가. 그러나 나라 경제가 거덜나 버린 지금 그 찬란하던 러시아 예술의 전통을 찾아보기란 쉬운 일이 아니다.

어쩌면 한국 대중가요의 가사가 짧은 것도 노래를 만드는 사람들이 먹고 사는 문제에 급급하다 보니 간단하게 작업을 끝내고 다음 노래로 넘어갔기 때문이 아닐까 하는 생각까지 해 보았다. 그렇다면 신세대 가요의 가사가 점점 길어지는 것은 아주 바람직한 추세라고 할 수 있다. 나 같은 사람이 가사를 다 외워서 폼나게 노래하기는 그만큼 어려워지겠지만 이제 한국 사람들도 여유를 찾기 시작했다는 점에서는 반가운 일이 아닐 수 없으니까 말이다.

2

무법천지 아, 대한민국

'이상한 나라' 한국

질서를 안 지키는 사람이 한둘이어야 붙잡고 싸우든 할 것 아닌가. 결국 나는 '내일 새벽까지는 나도 택시를 탈 수 있겠지' 하고 스스로를 달래며 하염없이 기다릴 수밖에 없었다.

나는 한국에서 26년이나 살았지만 아직도 한국 음식을 거의 못 먹는다. 마늘과 고추를 못 먹고, 그래서 그런지 김치는 아예 입에도 대지 못한다. 한국 음식 중에서는 유일하게 곱창 전골을 좋아하지만, 내 입맛에 맞도록 맵지 않고 심심하게 해 주는 곳이 별로 없어서 단골집 아니면 좀처럼 가지 않는다. 한국 사람들과 어울리는 자리에서 한식집에 가자고 하면 굳이 마다지는 않지만, 상다리가 휘게 차려 놓은 그 많은 음식 중 내가 먹을 수 있는 것이라야 밥하고 김 두 가지뿐이다.

한번은 서울시장과 함께 울산에 있는 한 공장을 견학하러 갔는데 견학 도중 점심 시간이 되었다. 울산 시내까지 나와서 먹고 다시 들어가야 하는 게 번거롭기도 하거니와 동행한 시장님이 이왕 이렇게 된 것 노동자들과 함께 구내 식당에서 먹는 것이 어떠냐고 해 흔쾌히 그러자고 했다.

그러나 그것은 나의 실수였다. 공교롭게도 해장국이 점심 메뉴로 나왔는데, 어찌나 매운지 한 숟가락 떠 넣을 때마다 등에 식은 땀이 주르륵 쏟아졌다. 그 순간 숟가락을 놓으면 틀림없이 시내까지 밥을 먹으러 나가자고 할 것 같아서 꾹 참고 절반 정도 먹기는 했다. 하지만 어찌나 얼얼한지 나중에는 입 속 감각이 다 없어져 버려서 말도 나오지 않을 지경이었다.

음식뿐이 아니다. 26년을 살았으면서도 나는 아직까지 한국 말을 내 마음대로 구사하지 못한다. 몇 년 살지 않아도 한국 말을 거의 본토박이 수준으로 구사하는 외국인도 많던데, 아직도 내 한국 말은 듣는 사람을 긴장시킨다. 그래서 친한 친구들한테 구박도 많이 받는다.

한국 사람들은 한글이 우수하다고 말하면서도 정작 얼마나 우수한지에 대해서는 깊이 생각하지 않는 것 같다. 나 역시 언어학적 측면에서 한글의 우수성을 조목조목 열거할 능력은 없다. 하지만 대충 생각해도 한글이 얼마나 우수한 언어인지는 금방 알 수 있다.

무엇보다 한글의 자음과 모음을 조합하면 140개 소리를 낼 수 있다는 것이 그렇게 부러울 수가 없다. 그 정도면 전세계 어느 나라 말이든 거의 원음에 가깝게 표현할 수 있다. 일본 말로는 기껏해야 48개 소리를 구분할 수 있을 뿐이다.

예를 들어 'battery' 라는 영어 단어를 가지고 생각해 보자. 한글로는 이것을 '배터리' 라고 쓸 수 있다. 한국 사람이 한국 말로 '배터리' 하면 어지간한 미국 사람도 battery로 알아듣는다. 그러나 일본 말로는 아무리 기를 써도 '밧데리' 밖에 안 된다. 일본 사람이 아닌 다음에야 '밧데리' 를 battery로 알아들어줄 사람이 지구상에 몇이나 되겠는가. 그런데도 아직 '밧데리, 밧데리' 하는 습관을 버리지 못한 한국 사람이 엄청나게 많다. 많은 생각을 하게 만드는 대목이지만 여기서는 그냥 넘어가기로 하자.

아무튼 그런 이유로 아직도 나는 성(姓)이 정씨나 전씨인 한국 사람을 만나면 반드시 "전두환 할 때 전이냐, 정주영 할 때 정이냐?"를 확인해야 그 사람 이름을 똑바로 알 수 있다. 일찍부터 48개 소리에 고정되어 버린 내 고막으로는 '이응' 과 '니은' 을 분간할 재간이 없는 탓이다.

그러나 나는 이런저런 한국의 매력에 마냥 빠져들 수가 없다. 거의 제로에 가깝다고밖에는 달리 표현할 도리가 없는 한국 사람들의 질서 의식을 생각하면 말이다.

예전에 반포에 살 때 나는 강남 고속버스 터미널 맞은편 뉴코아 백화점에 자주 들락거렸다. 그런데 택시를 타려고 그 앞에 서 있을 때마다 '과연 여기가 사람 사는 동네인가' 하는 의문을 떨쳐버릴 수 없었다. 남녀노소를 불문하고 차례를 지키는 사람이 단 한 사람도 없었기 때문이다.

나는 원래 싸우기를 좋아하는 사람이다. 아니 싸우기를 좋아한다기보다는 질서를 지키지 않는 사람들을 보면 가만히 있지 못하는 성격이라고 해야 옳다. 그런데 한국에서는 말이 매끄럽게 되지 않는데다 싸울 때 반드시 필요한 '욕' 을 제대로 할 줄 모르기 때문에 무던히도 참으려고 애쓰는 편이다. 그러다가 내 인내의 한계를 넘어서는 사태가 눈에 뜨이면 때와 장소를 가리지 않고 싸워 버린다.

그렇지만 뉴코아 백화점 앞에서는 나도 속수무책이었다. 질서를 안 지키는 사람이 한둘이어야 붙잡고 싸우든 할 것 아닌가. 결국 나는 '내일 새벽까지는 나도 택시를 탈 수 있겠지' 하고 스스로를 달래며 하염없이 기다릴 수밖에 없었다.

내가 이런 말을 하면 한국인 친구들은 "에이, 설마 그 정도까지야……" 하면서 믿으려 들지 않는다. 그러면 나는 만사를 제쳐놓고 그들을 뉴코아 백화점 앞으로 데리고 간다. 가서 직접 보여 주면 설마 하던 사람들도 고개를 설레설레 젓는다. 내가 그 아수라장의 현장을 보여 주는 이유는 꼭 한 가지. 바로 한국의 현재 모습이고 얼굴이기 때문이다.

앞으로 하나하나 들추겠지만, 그 밖에도 한국이라는 나라에는 좀처럼 친숙해질 수 없는 측면이 많다. 그런데도 나는 26년 동안이나 한국 땅을 떠나지 못했다. 앞으로 살 날이 얼마나 될지는 모르지만 당분간은 한국을 떠날 생각이 없다.

사실은 나 자신도 그런 나를 이해하지 못하겠다. 음식도 안 맞고, 말도 익숙하지 않고, 더욱이 속에서 천불이 올라오는 일이 펑펑 터지는 나라를 왜 떠나지 못하는 것일까?

마음만 먹으면 오늘 당장이라도 보따리를 쌀 수 있다. 보따리를 싸고 말고 할 것도 없다. 그냥 비행기 타고 떠나서 돌아오지 않으면 그만이다. 일가 친척이나 피붙이가 있는 것도 아니고, 집이라고 해야 스물네 평짜리 전세 아파트 한 칸이 고작이다. 그런데도 가지 못한다. 그 이유가 무엇인지 정말 나도 궁금하다.

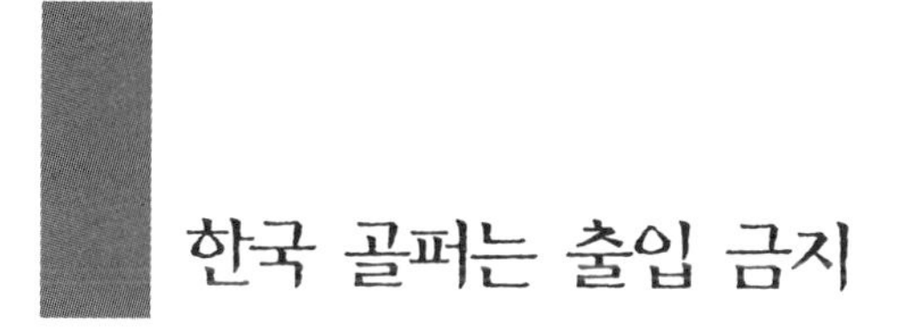

한국 골퍼는 출입 금지

골프장측으로서는 한국 사람들이 아주 중요한 고객이다. 그런 고객을 스스로 출입 금지시켰다면 '돈 안 벌어도 좋다. 당신들의 추태는 더 이상 눈뜨고 못 봐 주겠다'는 뜻이지 않겠는가.

중국 베이징에는 골프장이 두 개 있다. 그 가운데 하나가 '베이징 국제 골프 클럽'이다. 이곳은 일본 사람이 운영하는데, 시설은 괜찮은 편이지만 베이징 시내에서 멀리 떨어져 있기 때문에 이용객이 별로 많지 않았다. 지금은 고속도로가 뚫려서 시간이 훨씬 단축되었지만, 전에만 해도 베이징 시내에서 만리장성 입구에 있는 이 골프장까지 가려면 자동차로 한 시간 이상 달려야 했다.

얼마 전 중국에 일이 있어서 갔다가 이 골프장을 찾아갔는데, 한산하던 이곳이 손님들로 북적거렸다. 가만히 보니 대부분 한국 사람이었다. 왜 한국 사람들이 갑자기 이 골프장으로 몰리는지 궁금해서 사정을 알아보았다.

역시 그럴 만한 이유가 있었다. 베이징 공항 근처에 자리잡고 있어서 교통이 아주 편리한 '베이징 골프 클럽'에 얼마 전부터 '한국인 출입 금지령'이 내려졌다는 것이다. 한국 사람들의 매너가 너무 형편없어서 다른 손님들의 불만이 이만저만하지 않다는 것이 그 이유였다.

IMF 시대를 맞은 지금도 많은 한국 사람이 매일 외국으로 나간다. 한창 경기가 좋을 때에는 하루에도 수만 명이 동남아로, 유럽으로, 미국으로 여행을 떠났다. 지구 한쪽 귀퉁이의 조그만 나라 사람들이 전세계를 누비고 다니면서 관광도 하고 비즈니스도 하는 것은 아주 좋은 일이다.

그러나 극히 일부(!) 몰지각한 인사들이 세계 각지에서 벌이고 다니는 추태가 문제다. 여기에 대해서는 이미 많은 사람이 지적한 바 있거니와 한국 사람들 스스로도 반성하고 있을 것이라고 생각한다.

하지만 한국 사람들이 중국 골프장에서 쫓겨났다는 사실은 조금 기분이 언짢더라도 한번쯤 깊이 생각해 보아야 한다. '나는 골프를 치지 않으니까 상관없는 이야기'라고 무시해 버리지 말자. 한국 사람이라면 누구에게나 해당하는 일이니까.

모든 스포츠에는 규칙이 있고 또한 '매너'라는 게 있다. 축구 선수가 공을 손에 들고 뛰거나 마라톤 선수가 자전거를 타고 달린다면 선수 자격이 없다. 다시 말해서 정해진 규칙을 지키지 않으려면 굳이 그 운동을 해야 할 필요도 없다는 이야기다.

지금이야 만성이 되어 버려 아예 무감각해졌지만 골프장에 가보면 한국 사람들 정말 너무하다는 소리가 저절로 나온다. 규칙이고 매너고 안중에도 없다. 도대체 알고 그러는지 모르고 그러는지, 때로는 스코어를 어떻게 따지는지조차 모르는 상태에서 필드로 나오는 사람도 있는 것 같다.

성격이 급한 것도 문제다. 필드에 나가려면 공을 잘 치고 못 치고를 떠나서 최소한 기본기는 되어 있어야 한다. 그래야 남한테 피해를 주지 않는다. 그런데 한국 사람들은 일단 골프채를 잡았다 하면 무조건 필드로 나가려고 안달이다. 정작 나가서는 공을 골프채에 맞추지도 못해서 애꿎은 잔디만 망가뜨려 놓는다. 뒤에서 차례를 기다리는 사람들로서는 짜증스럽지 않을 수 없다.

그 정도는 눈감아 줄 수 있다고 치자. 가장 큰 문제는 한국 사람들이 골프를 치면서 내기를 한다는 점이다. 간단하게 맥주 한 잔 사기 정도라면 적당히 승부욕을 자극해서 실력 향상에 도움이 될 수도 있다.

나도 가끔은 한국 친구들과 어울려 골프를 칠 때도 있다. 원래 골프 치면서 내기를 할 때에는 초콜릿을 거는 것이 관례다. 그래서 일본에서는 초콜릿이 가장 많이 팔리는 곳이 골프장이다.

그러나 한국 사람들은 초콜릿 정도로는 '간지러워서' 내기를 못 한다. 하는 수 없이 그날 경비를 누가 부담할 것인가를 놓고 내기 골프를 치지만, 그보다 액수가 커지면 나는 절대 응하지 않는다. 자칫하면 '내기'가 아니라 '도박'이 되어 버리기 때문이다. 아는 사람들끼리는 도박을 하지 않는 것이 철칙이다. 그래도 정 하고 싶다는 친구가 있으면 워커힐 카지노에 데려다 준다.

한국 사람들이 '판돈'을 얼마나 걸고 내기하는가 따위는 내가 상관할 바 아니다. 문제는 그들의 지나친 승부욕이다. 일단 100원짜리 하나라도 내기가 걸렸다 하면 한국 사람들은 눈에 불을 켜고 달려든다.

그러다 보니 자연 한 타를 덜 쳤네 더 쳤네 하면서 시비가 뒤따르게 마련이다. 게다가 다들 목소리는 어찌 그리도 큰지 한국 사람들이 잘 하는 말로 "이 골프장 당신들이 전세 냈소?" 하는 소리가 저절로 나올 지경이다.

한국 사회에서는 아직도 골프를 '고급 스포츠', 심지어는 '귀족 스포츠'로까지 여긴다. 뒤집어 말하면 한국에서 골프를 즐기는 사람들은 그에 걸맞은 경제적 사회적 지위를 누리고 있다는 뜻이 된다. 더욱이 중국 땅에서까지 골프를 즐길 정도라면 대기업 주재원이나 무역상, 외교관 등 소위 말하는 엘리트 계층이라고 해도 큰 무리가 없을 것이다.

그런 사람들이 중국 골프장에서 쫓겨났다. 골프장측으로서는 한국 사람들이 아주 중요한 고객이다. 그런 고객을 스스로 출입금지시켰다면 '돈 안 벌어도 좋다. 당신들의 추태는 더 이상 눈뜨고 못 봐 주겠다'는 뜻이지 않겠는가.

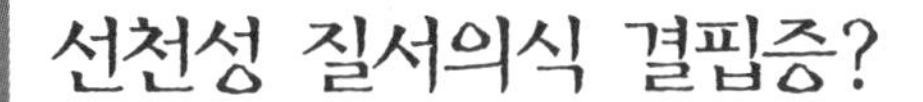

선천성 질서의식 결핍증?

정부 당국은 국민의 불만과 요구를 수렴하여 최대한 합리적인 법규를 만들겠다는 의지가 없고, 국민은 국민대로 저 따위 법 같지도 않은 법을 지켜서 뭐 하나 하면서 제멋대로 행동해 버린다. 나라 꼴이 제대로 될 리 없다.

한국 사람들이 태어날 때부터 '선천성 질서의식 결핍증' 같은 불치병을 앓는 것은 아니다. 내가 살고 있는 성남시 한 이면도로에서는 모든 차량이 깜짝 놀랄 만큼 철저하게 교통 신호를 지킨다. 교통 경찰들이 늘 단속하기 때문이다.

몇 달 전 미국으로 유학을 다녀온 한 젊은이를 만났을 때였다. 한국 사람들이 교통 법규를 잘 안 지킨다는 내 말에 그는 이렇게 반론을 제기했다.

"로스앤젤레스 코리아 타운에서 1년 가량 살았는데 그곳 교민은 교통 신호를 '칼같이' 지키던데요."

로스앤젤레스 코리아 타운에 사는 한국 사람들이 얼마나 교통 법규를 잘 지키는지는 모르지만, 그 젊은이 말에 충분히 공감할 수 있었다. 서울 시내에도 한국 사람들이 교통 법규를 '칼같이'

지키는 지역이 있으니까. 미8군 영내가 그곳이다.

지금은 시민공원으로 변했지만 얼마 전까지만 해도 미8군 용산 골프장은 서울 시내에서 제대로 골프를 즐길 수 있는 유일한 곳이었다. 골프를 즐기기 위해서가 아니더라도 카지노나 음식점 등을 이용하고자 미8군에 드나드는 한국 사람도 제법 있었다. 이들은 차를 몰고 미8군 영내로 들어서면 '시속 15~20마일'로 정해져 있는 제한속도를 어기는 법이 없다.

조금만 속력을 내면 어김없이 미군 헌병들에게 적발당하는데 그 다음부터는 부대에 마음대로 드나들 수 없기 때문이다. 시내에서는 무지막지한 무법자처럼 난폭 운전을 일삼던 사람도 일단 미군 부대 안으로 들어가면 순한 양처럼 법규를 지킨다. 그 모습을 보면서 대한민국 사람들도 원래부터 법규를 지키지 않는 청개구리 같은 사람들이 아니라는 사실을 새삼 깨달았다.

결국 질서를 지키거나 지키지 않는 것은 습관일 뿐이다. 그러니 질서를 지키지 않으면 제대로 사회 생활을 누릴 수 없도록 사회적인 분위기가 무르익어야 한다. 그러나 한국에서는 정부 당국이 오히려 국민에게 질서를 지킬 수 없도록 하는 것은 아닌지 다시금 생각해 볼 문제다.

차를 타고 다니다 보면 길게 늘어선 좌회전 차량과 직진할 차들이 뒤엉키는 바람에 교차로 일대가 완전히 아수라장이 되어 버리는 경우가 있다. 그러면 교통 경찰이 컨트롤 박스를 열어 좌회전 차량이 어느 정도 빠져 나갈 때까지 신호를 조작한다.

이때 교통 경찰이 신호를 조작하고 있다는 사실을 모르는 운전자들은 처음에는 인내심을 가지고 기다린다. 그러나 아무리 기다려도 신호가 바뀌지 않으면 "이놈의 신호등, 또 고장이군" 하면서 신호를 무시한 채 조그만 틈새를 비집고 들어가기 시작한다. 용감한 한 운전자가 그렇게 돌파구를 열면 기다렸다는 듯이 모든 차량이 뒤를 따라가는 통에 그 일대 교통이 완전히 마비되고 만다.

정해진 신호를 지키는 것이 오히려 원활한 소통에 방해가 된다면 신호등을 조작하지 말고 수신호로 차량을 소통시키면 된다. 교통 경찰로서는 쏟아지는 매연 속에서 수신호를 한다는 게 귀찮기도 하고 비효율적이라고 생각해서 컨트롤 박스를 조작하는지 모르겠다. 하지만 신호 체계는 컴퓨터로 일정한 지역까지 연계되어 있게 마련이므로 막히는 지역에서만 신호를 조작하면 연계된 그 일대가 모조리 교통 지옥으로 변해 버린다.

요즈음에는 컴퓨터가 워낙 발달해서 교통량을 계산하면 도로를 어떻게 설계하는 게 가장 효율적인지 금방 답이 나온다. 그러나 도로 설계를 전공한 한국의 실무자들은 컴퓨터보다 자기 머리를 더 믿어서인지 컴퓨터 시스템을 별로 활용하지 않는 것 같다.

이를테면 경부고속도로 기흥 톨게이트 주변은 어떻게 하면 사고를 가장 많이 낼 것인가 치밀하게 연구한 결과가 아닐까 하는 의구심이 들 정도다. 여기에 전자제품 회사가 들어서면서 출입로를 새로 만들고 기존 도로는 폐쇄해 버렸는데, 그 길을 따라가면 이쪽에서 오는 차와 저쪽으로 가는 차가 딱 부딪치기 좋게 되어 있다. 그러니 사고가 잦을 수밖에 없다.

일본은 현재 전국 도로망의 총길이가 54만 킬로미터에 달하는데, 도로공단 소속 연구원 70명 가량이 도로를 관리하고 새 도로를 설계하는 업무를 관장하고 있다. 한국은 도로 길이가 일본의 절반밖에 안 되지만 도로공사 소속 연구원은 일본보다 다섯 배나 많다.

자동차를 타고 한국과 일본의 도로를 다녀 보면 누구나 그 차이를 알 수 있다. 몇 킬로미터 이상 직선주로가 계속되면 운전자가 졸려서 사고가 날 염려가 있기 때문에 일본의 고속도로는 일부러 커브 길을 만들어 두는 배려를 아끼지 않는다. 그러나 한국의 도로 중에는 왼쪽으로 굽은 커브 길일 경우 도로면의 오른쪽이 더 높아야 한다는 기본적인 상식조차 반영되어 있지 않는 곳이 많다.

또 한국에는 병목 현상이 나타나는 도로가 유난히 많다. 물론 주변 여건 때문에 어쩔 수 없이 그렇게 된 경우도 있겠지만, 조금만 신경을 쓰면 충분히 예방할 수 있는 곳도 부지기수다. 병목 지점을 통과할 때 운전자들이 보이는 태도 역시 한국과 일본 사이에는 차이가 많다.

서울 시내에서 병목 현상을 보이는 가장 대표적인 곳이 바로 남산 1호 터널과 3호 터널의 진입로 부근이다. 여러 차선에서 몰려든 차량이 단 두 차선밖에 없는 터널 안으로 진입해야 하기 때문이다. 요즈음에는 나아진 편이지만, 아직도 일부 염치 없는 운전자는 갓길을 통해 터널 코앞까지 와서 '새치기'를 한다.

이럴 때 차창을 내리고 손을 내밀어 보이거나 한껏 애교스러운 얼굴로 고개를 조아리며 사정하면 한국 사람들은 대부분 마지못해 양보해 준다. 인정이 많아서 그런지 모르겠지만, 양보하지 말아야 할 곳에서 양보해 주면 그런 얌체족의 버릇을 영원히 고쳐 놓을 수 없다.

일본 사람들은 이런 경우 절대로 끼어들기를 허용하지 않는다. 자기 차가 앞차 범퍼에 닿는 한이 있어도 한치의 빈틈도 남겨 주지 않는 것이다. 그렇게 해서 얌체 운전자가 섣불리 끼어들지 못하고 머뭇거리는 사이 경찰이 나타나서 단속을 한다.

다시 말하지만 정부 당국은 국민 누구나 수긍할 수 있는 합리적인 법규와 규범을 만들기 위해 노력해야 한다. 또한 국민은 불합리하다 싶어도 일단은 법을 지키면서 개선 방안을 모색해야 질서가 잡히고 나라가 제대로 돌아간다.

그러나 한국 정부 당국은 국민의 불만과 요구를 수렴하여 최대한 합리적인 법규를 만들겠다는 의지가 없고, 국민은 국민대로 저따위 법 같지도 않은 법을 지켜서 뭐 하나 하면서 제멋대로 행동해 버린다. 나라 꼴이 제대로 될 리 없다.

재수 없어 걸린 사람들

한국 사람의 습성 가운데 내가 가장 싫어하는 것이 교통 법규를 지키지 않는 점이다. 나아가 교통 법규를 철저히 지키기 시작하면 바로 그날부터 대한민국은 세계에서 제일 가는 선진국으로 발돋움할 거라고 확신한다.

출근 시간에 성남시 아파트에서 서울 약수동 사무실까지 오려면 한 시간 남짓 걸린다. 그리 길지 않은 시간 동안 내 눈에 띄는 교통 법규 위반 건수는 다 헤아릴 수도 없을 정도다. 난폭 운전이나 신호 위반, 차선 위반 정도는 차라리 애교에 속한다. 심지어 좌회전 신호를 받기 위해 중앙선을 넘어 반대 차선으로 질주하는 차들도 쉽게 볼 수 있다.

이 글을 쓰고 있는 오늘 아침 출근길에 목격한 일이다. 성남에서 서울로 진입하는 그 복잡한 왕복 8차선 대로에서 좌회전 차선으로 들어가기 위해 네 차선을 거의 직각으로 가로지르다시피 넘어가는 승용차를 보았다. 하도 어이가 없어서 나는 그 자동차 번호를 적어 두었다. 아침까지만 해도 이 책에 자동차 번호를 공개해서 톡톡히 창피를 줘야겠다고 생각했지만, 막상 쓰려고 하니까 용기가 안 난다. 잘못하면 진짜로 맞아 죽을지도 모르니까. 맞아 죽을 각오를 하긴 했지만 이런 식으로 죽고 싶진 않다.

한국 사람의 습성 가운데 내가 가장 싫어하는 것이 교통 법규를 지키지 않는 점이다. 누가 한국 혹은 한국 사람의 가장 큰 문제점이 무엇이냐고 물으면 나는 주저 없이 이를 꼽는다. 나아가 교통 법규를 철저히 지키기 시작하면 바로 그날부터 대한민국은 세계에서 제일 가는 선진국으로 발돋움할 거라고 확신한다.

교통 법규를 지키라는 나의 잔소리는 때와 장소를 가리지 않는다. 나는 교통 법규를 지키지 않는 사람들을 보면 당장 쫓아가서 머리통을 한번 열어 보고 싶다. 도대체 그 속에 무슨 생각이 들어 있기에 이 모양일까.

나는 일본에서 거의 40년 전에 A급 운전 면허를 취득했고, 취미삼아 스포츠 카도 몰았다. 적어도 운전 하나만큼은 자신 있다고 생각했다. 그런 내가 한국에 와서 운전을 포기해 버렸다. 외국인이 한국에서 운전을 한다는 것은 자살 행위나 다름없다는 것을 일찌감치 터득한 것이다. 그래서 목숨을 보전하기 위해 할 수 없이 기사를 두고 있다.

우리 운전 기사는 다른 한국 사람에 비하면 교통 법규를 대단히 잘 지키는 편이다. 6년 동안 하루도 거르지 않고 잔소리를 들어온 덕분일 테지만, 그래도 아직 흡족한 수준은 아니다. 나하고 친한 한국 사람들은 차라리 차를 빌려 줄망정 나를 자기 차에 태워주지 않으려 한다. 내 잔소리가 지긋지긋하기 때문이다.

김대중 정부가 출범한 직후 도로교통법 위반자를 사면해 준 일이 있는데, 그때 사면 받은 사람이 몇인지 기억하는가? 무려 532

만 명이다. 어림잡아 대한민국 국민 여덟 명 가운데 한 사람, 일상적으로 운전을 하는 상당수가 범법자라는 이야기다.

더 큰 문제는 그 사람들이 스스로를 '범법자'라고 생각하지 않는다는 점이다. 그저 '재수가 없어서' 걸려들었을 뿐이라고 여긴다. 한국 사람들이 일반적인 '전과자'는 그토록 매몰차게 차별하면서도 유난히 관대하게 대우하는 전과자가 있다. 도로교통법 위반 전과자와 뇌물 받아 감옥에 갔다 온 정치인이 그들이다.

내가 이런 소리를 하면 한국 친구들은 이제는 만성이 되어 아무렇지도 않게 넘겨 버린다. 언젠가는 사내 대장부가 좀스럽게 그깟 교통 법규 가지고 미주알고주알 잔소리하느냐는 소리도 들었다.

미안하지만 그것은 대단히 위험한 생각이다. '위험하다'는 말은 교통 법규를 지키지 않으면 사고가 나서 목숨을 잃을 수도 있다는 물리적인 차원의 이야기가 아니다. 교통 법규도 엄연한 '법'이다. 국민이 법을 지키지 않으면 그 나라는 망하게 되어 있다.

'아시아의 용'이라 불리던 한국이 지금 이 지경까지 굴러떨어진 이유를 차근차근 따지다 보면 그 밑바닥에서 교통 법규를 지키지 않는 추악한 한국 사람들의 얼굴을 발견할 수 있다. 언뜻 듣기에 논리적 비약이 심한 것 같지만, 조금만 생각해 보면 내 말이 과장이 아니라는 것을 알 수 있다.

법이라는 것은 사회적 약속이다. 무인도에서 혼자 사는 사람이라면 굳이 법과 도덕을 만들어 지킬 필요가 없다. 그러나 현실은 그렇지 않다. 많은 사람이 모여 사회를 구성해 살다 보니 갈등이 생기고 충돌이 생긴다. 그걸 막기 위해 조금 불편하더라도 서로서로 조금씩 양보해서 이것만은 지키자고 약속한 것이 바로 법이고 공중 도덕이다.

그런데 사회 구성원 스스로 이 약속을 무시하면 사람살이의 기본 틀이 흔들린다. 남이야 어떻게 되든 나만 빨리 가면 되고, 내 이익만 챙기면 된다는 이기적인 생각 때문에 온갖 비리와 부패가 생겼고, 그것이 쌓이고 곪았다가 한꺼번에 폭발한 게 IMF 사태 아니겠는가.

예를 들어 도로에 100미터 간격으로 횡단 보도 두 개가 있다고 하자. 첫번째 횡단 보도 앞에서는 U턴이 금지되어 있고, 두 번째 횡단보도 앞에서만 U턴을 하도록 되어 있다. 실제로 차를 타고 거리를 다니다 보면 이런 도로는 얼마든지 찾아볼 수 있다.

그런데 성질 급한 사람들은 'U턴 금지' 라는 표지판을 빤히 보고도 첫번째 횡단 보도에서 차를 돌려 버린다. 상황이 그렇다면 첫번째 횡단 보도 앞에서 U턴을 할 수 있도록 관계당국이 조치를 해 주어야 한다. 그렇게 하는 것이 운전자들의 시간과 휘발유를 절약해 주는 길이고, 그들을 범법자로 만들지 않는 방법이며, 나아가 교통사고를 줄이는 길이다.

사정이 이런데도 당국은 고칠 생각은 하지 않고 단속만 한다. 그나마 매일 단속하는 것도 아니고 정해진 원칙이 없는 듯 아무 때나 나와서 잡는다. 이왕 단속하려면 하루 24시간 철저하게 해서 누구도 위반하지 못하도록 해야 한다. 평소에는 아무 탈 없이 잘 지나다니던 길에서 어느 날 갑자기 단속에 걸리면 누구든지 '에이, 오늘 재수 옴붙었군' 하는 것이 당연하다.

시대가 바뀌고 상황이 바뀌어 더 이상 지킬 수 없게 된 법이라면 시대에 맞게 뜯어고쳐야 한다. 그것이 국가가 해야 할 일이다.

그럴 수 없는 사정이 있다면 국민에게 납득시키는 한편 철저하게 집행해서 누구도 위반하지 못하도록 하고 위반한 사람한테는 엄중한 벌을 주어야 한다.

하지만 당국은 그런 노력을 기울이지 않고, 국민은 국민대로 그까짓 법이야 있거나 말거나 신경 안 쓰고 제멋대로 행동한다. 그러다가 '재수가 없어서' 단속에 걸리면 '백'을 쓰거나 돈을 쓰거나 해서 미꾸라지처럼 빠져 나간다. 백도 없고 돈도 없는 불쌍한 서민만 고스란히 당한다. 세상에 이런 나라, 이런 법이 어디 있는가. 악담이 아니라 그런 나라가 망하지 않는다면 오히려 이상한 일이다.

총알 택시의 악몽

가끔 '총알 택시'를 탄 적이 있었다. 나는 그 택시를 처음 타고 가면서 '아, 내 인생도 이렇게 끝나는구나' 하며 눈을 질끈 감아 버렸다. 가로등 하나 없는 그 시골길을 말 그대로 '총알'처럼 달리는데 도저히 눈을 뜨고 있을 수가 없었다.

한국 식당에 가면 사기로 만든 잔에 물을 따라 주는 경우가 많다. 여름이든 겨울이든, 시원한 물이든 뜨거운 물이든 가리지 않고 똑같은 잔에다 준다. 뜨거운 물이야 사기 잔으로 먹는 게 좋지만, 찬물은 투명한 유리 컵에 먹어야 제 맛이 난다. 그래서 컵을 바꿔 달라고 하면 종업원은 으레 이렇게 말한다.

"손님, 어차피 물맛은 똑같잖아요."

한국 사람들은 원래 굉장히 섬세하다. 그렇게 섬세하고 입맛도 까다로운 사람들이 물맛에 대해서는 왜 그렇게 무감각한지 모르겠다. 과학적으로 이유를 설명할 수는 없지만 투박한 사기 잔에 따라 먹는 물과 투명한 유리 컵에 따라 먹는 물은 분명히 맛이 다르다. 값비싼 크리스털 컵을 만드는 사람들이 보기에 좋으라고 그렇게 많은 돈을 투자하는 것이 아니다.

사소한 이야기 같지만 이렇게 컵에 따라 물맛이 달라진다는 사실을 확고하게 인식하지 않는 한 한국 사람들은 선진국으로 도약하기가 쉽지 않을 것이다. 어떻게 해서든지 값싼 물건을 많이 만들어 팔면 중진국 대열에 들어설 수 있다. 그러나 그 단계를 뛰어넘어 명실상부한 선진국 대열에 합류하기 위해서는 부가가치가 높은 제품을 만들어야 하고, 부가가치가 높은 제품을 만들기 위해서는 '컵에 따라 달라지는 물맛'의 미묘한 차이를 가려 낼 수 있어야 한다.

그 차이를 모르는 사람이 만든 제품은 써 보면 금방 표시가 난다. 요즈음 한국의 청소년들 가운데 일제 필기구를 쓰는 아이들이 적지 않다. 내 생각으로는 그 아이들이 무턱대고 일제를 선호하기 때문이 아니다. 불과 몇백 원짜리 물건에 지나지 않지만 볼펜 한 자루에도 만드는 사람의 '마음'이 들어간 제품과 그렇지 않은 제품 사이에는 커다란 차이가 있다.

비단 제조업 분야에만 해당하는 이야기가 아니다. 서비스 업종에 종사하는 사람들도 이 점을 항상 염두에 두어야 한다. 식당에서 일하는 사람들은 식탁에 바퀴벌레가 기어다니든 바닥에 물이 질퍽하든 손님들 배만 부르게 해 주면 된다고 생각해서는 안 된다. 택시 기사들 역시 손님을 목적지까지 태워다 주기만 하면 된다고 생각해서는 곤란하다.

일전에 어느 미국인이 서울에서 택시를 잡다가 무려 스물 몇 대로부터 승차를 거부당하자 하도 열이 뻗친 나머지 남의 택시를 빼앗아서 집까지 몰고 가 버린 사건이 있었다. 충분히 공감이 가는 일이다. 가끔 택시를 탈 때마다 한국 말을 웬만큼 하는 나도 이 정도인데 한국 말을 전혀 할 줄 모르는 일반 외국 관광객의 고충은 어떨까 생각한다.

지금은 흐지부지해졌지만 한때 서울 시내에서 지정된 승하차장에서만 택시가 서도록 하고, 그 장소가 아니면 서지 못하게 단속하던 시절이 있었다. 그때만 해도 나는 서울 지리에 익숙하지 못한 편이었다.

한번은 시청 앞에 있는 어느 대형 건물에 갈 일이 있어서 택시를 탔는데, 그 건물 앞에 버스 정류장이 있어서 정차하지 못하는 모양이었다. 결국 목적지에서 몇백 미터쯤 지나친 곳에 내렸는데, 방향 감각을 잃어버려서 그 일대를 몇 바퀴나 뱅뱅 돌아야 했다. 그 택시 기사도 내가 외국인이라는 사실을 몰랐을 리 없다. 설령 외국인이 아니더라도 지나올 때 여기가 당신 목적지인데 차를 세울 수 없어서 조금 지나가니 내려서 걸어가라는 식으로 한마디만 해 주었더라면 그 고생을 안 했을 것 아닌가.

이왕 택시 이야기가 나왔으니 말인데 나는 지금도 그 끔찍한 '총알 택시'의 악몽을 떨쳐 버리지 못한다. 1980년대 초반 수원에 살 때 일이다. 서울 시내에서 일을 보다가 시간이 늦어지면 가끔 '총알 택시'를 탄 적이 있었다. 명보극장 근처 쌍용 본사 앞에서 수원까지 당시에는 일인당 1천 원이면 총알 택시를 탈 수 있었다. 나는 그 택시를 처음 타고 가면서 '아, 내 인생도 이렇게 끝나는구나' 하며 눈을 질끈 감아 버렸다.

서울 시내에서 수원까지는 길이 막히지 않아도 최소한 두 시간은 걸리는 거리인데 그 총알 택시는 불과 30분도 안 되어 내 집 앞에 도착하는 것이었다. 그때만 해도 과천 주변이 황량한 논밭이었는데 가로등 하나 없는 그 시골길을 말 그대로 '총알' 처럼 달리는데 도저히 눈을 뜨고 있을 수가 없었다.

일본에도 '신풍(神風) 택시' 라는 게 있기는 하다. '신풍' 이 무엇인가, 그 악명 높은 '가미카제' 아닌가. 그런 신풍 택시도 한국의 총알 택시와 비교하면 게임이 안 된다. 모르긴 몰라도 한국의 택시 기사들 중에는 자동차 경주 선수로 변신하면 크게 성공할 사람이 많을 것이다.

흔히 '서비스 정신' 하면 곧잘 일본을 예로 들지만 일본 사람이라고 모두 서비스 정신으로 똘똘 뭉쳐 있는 것은 아니다. 일본의 어느 버스 터미널에서 일어난 일이다. 한국에서 온 관광객으로 보이는 중년 남자가 일본인 직원에게 서투른 일본 말로 "이 버스를 타면 신주쿠로 갈 수 있느냐"고 물었다.

버스 회사 직원은 귀찮다는 듯 대답도 제대로 하지 않고 고개만 끄덕였다. 마침 그 옆을 지나가던 내가 언뜻 보니까 신주쿠로 가지 않는 버스였다. 방향이 전혀 다른 것은 아니지만 신주쿠까지 가려면 도쿄에서 다른 버스로 갈아타야 했다.

나는 대번에 걸음을 멈추고 버스 회사 직원을 나무랐다. 상대방은 누가 봐도 외국인이 분명한데 제대로 친절하게 안내해 주어야지 그렇게 무성의한 대답이 어디 있느냐고. 그러자 그 직원은 어차피 여기서 한 번에 신주쿠로 가는 버스가 없으니까 중간에 갈아타야 하는데 거기 가서 다시 물어 보면 될 것 아니냐는 식으로 뻗대고 나왔다. 어찌나 화가 나던지 한바탕 싸우고 나서는 내가 그 한국인을 신주쿠까지 안내해 주었다.

나는 일본 사람 중에서도 아주 특이한 성격에 속한다. 일본 사람이라고 해서 모두 위와 같은 상황에서 나처럼 행동하지는 않는다. 그러나 한국 사람이냐 일본 사람이냐, 서비스 정신이 있느냐 없느냐 따지기 이전에 남을 배려할 줄 아는 사람이 많을수록 세상 살기가 한결 수월해질 것은 분명한 사실이다.

사회가 발달할수록 서비스 업종의 비중은 점점 높아지게 마련이다. 그러나 진정한 서비스 정신으로 무장하지 않는 한 경쟁, 특히 국제적인 경쟁에서 살아 남을 수가 없다. 서비스를 제공하는 사람은 단순히 돈벌이 수단이 아니라 상대방에게서 감사를 받아야 한다는 마음가짐으로 임해야 한다.

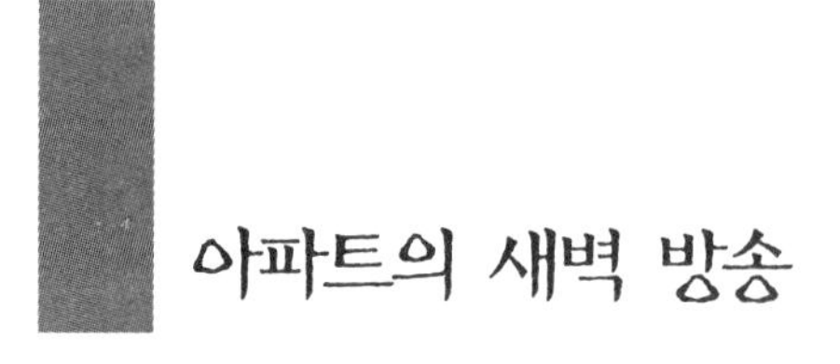

아파트의 새벽 방송

일본에서는 아무 생각 없이 주차한 차는 절대로 가만두지 않는다. 차체를 통째로 긁어 놓거나 타이어를 펑크 내는 따위는 기본이고, 심하면 유리까지 박살내기도 한다. 어떻게 생각하면 비인간적인 것 같지만 한국 사람들도 이 무법 천지를 고치려면 독하게 마음먹고 이렇게 해야 한다.

한국의 교통 문제 가운데 가장 심각한 것은 뭐니뭐니 해도 주차 문제다. 지방자치제가 실시되면서 시장 후보니 구청장 후보니 출마하는 사람마다 주차 문제를 해결하겠다는 공약을 내세웠지만, 아직까지 나는 한산한 시골 마을 아니고는 주차 문제가 없는 동네를 보지 못했다.

내가 살고 있는 아파트만 해도 주차 때문에 몸살을 앓고 있기는 마찬가지다. 자동차에 비해 주차 공간은 턱없이 부족하니 늦게 들어오는 사람들은 통로를 막고 차를 세울 수밖에 없다. 거기까지는 어쩔 수 없는 일이라고 치자.

다른 차가 들어오지도 나가지도 못하게 통로를 막아 놓았으면 아침 일찍 차를 치워 놓는 수고 정도는 당연히 감수해야 한다. 그런데 한국 사람들은 그런 수고를 안 한다. 결국 아침마다 경비 아저씨들이 온 아파트 단지가 떠나가도록 차 빼 달라는 방송을 해대는 것이다.

한번은 불법 주차한 다른 차 때문에 내 차가 갇혀서 오도 가도 못하는 신세가 되어 버린 적이 있다. 몇 번이나 차를 둘러보았지만 연락처를 남겨 놓지도 않았다. 서너 시간을 꼼짝없이 기다리다 보니 더 이상 참을 수 없을 만큼 화가 치밀었다. 결국 사람들을 불러다 그 차를 들어서 옆으로 옮겨 놓고 간신히 빠져 나왔다.

일본에서는 그렇게 아무 생각 없이 주차한 차는 절대로 가만두지 않는다. 차체를 통째로 긁어 놓거나 타이어를 펑크 내는 따위는 기본이고, 심하면 유리까지 박살내기도 한다. 차 주인이 그런 해코지를 당했다며 억울하다고 경찰서를 찾아갔다가는 오히려 주차 위반 벌금을 물어야 한다.

어떻게 생각하면 비인간적인 것 같지만 한국 사람들도 이 무법천지를 고치려면 독하게 마음먹고 이렇게 해야 한다. 그러지 않고서는 절대로 주차 문제가 해결되지 않는다. 차는 많고 주차장은 좁으니 다른 방법이 없다.

성남시만 해도 이른바 '개구리 주차'를 허용함으로써 주차 문제가 상당히 해소된 편이다. 편법이긴 하지만 차도 사람도 못 다니는 것보다는 조금 불편해도 양쪽 모두를 배려해 주는 것이 낫다.

우리 아파트에는 하루 종일 거의 비어 있다시피 한 테니스 코트가 있다. 그 테니스 코트에서 매일 운동하는 사람이 들으면 섭섭하겠지만, 그 땅을 주차 공간으로 활용하는 방법도 강구할 필요가 있다. 법적으로 주민 몇 명 이상의 아파트 단지에는 반드시 체육 시설을 갖추어야 한다는 규정이 있는지 모르겠지만, 주차 때문에 하루가 멀다 하고 이웃 사이에 생기는 다툼을 막을 수 있다면 테니스 코트를 없애는 것이 낫다.

물론 이런 것이 근본적인 해결책은 못 된다. 더 원칙론적인 이야기를 하자면 주차 공간을 확보하지 못한 사람은 자동차를 사지 말아야 한다. 한때 논의되던 차고지 증명제 같은 제도도 과감하게 도입할 필요가 있다.

또한 도심에서 주차 위반 단속을 더 철저하게 해서 주차 공간을 확보하지 못한 사람은 대중교통 수단으로 출퇴근하도록 강제해야 한다. 서울 시내에서 불법 주차하는 차들만 깨끗이 없어져도 교통 체증이 상당히 나아질 것이다. 서울시가 한 달만 마음먹고 교통 법규 위반 사례만 철두철미하게 집중적으로 단속한다면 적어도 '무법 천지'라는 오명 정도는 벗을 수 있을 것이다.

내가 사는 아파트는 평수가 그리 크지 않고 그나마 주민 대부분이 전세로 살고 있는 서민 아파트인데도 자동차가 없는 집은 거의 없는 듯하다. 나름대로 차가 필요한 사정이야 있겠지만, 집을 장만하기 전에 자동차부터 구입하는 한국 사람들의 습성을 나는 좀처럼 이해할 수가 없다.

또 하나 나로서는 고속도로를 제외하면 유료 도로가 별로 많지 않다는 사실도 이해되지 않는다. 분당 신시가지가 들어서면서 서울 시내와 연결된 도로가 많이 건설되었는데, 그 많은 도로 중에서 통행자에게 돈을 받는 유료 도로는 딱 한 군데밖에 없다. 나머지는 다 공짜다. 올림픽대로, 자유로, 새로 개통된 북부 간선도로 등 서울 시내 도로 대부분이 마찬가지다.

이런 도로를 이용하는 사람들에게 통행료를 내라고 하면 처음에는 반발할 것이다. 실제로 판교 근처 어느 도로에서 통행료를 징수하겠다고 하자 인근 아파트 단지 주민이 심하게 반발한 적도 있다.

그런 사람들은 자기가 낸 세금으로 만든 도로니까 공짜로 이용할 권리가 있다고 생각하는 모양이다. 하지만 조금만 깊이 생각해 보면 그렇지 않다는 것을 금방 알 수 있다. 물론 국민인 그 아파트 입주자들이 낸 세금으로 도로를 만들었다는 말은 맞다. 그러나 세금은 그 도로를 이용하는 그들만 낸 것이 아니다. 한 달 내내 혹은 일년 내내 그 도로를 한 번도 이용하지 않는 사람이 낸 세금도 그 도로 건설에 투입되었을 것이다.

그런 논리로 따진다면 도로를 자주 이용하지 않는 사람은 부당한 손해를 보는 셈이다. 따라서 도로를 이용하는 사람이 통행료를 내는 것은 조금도 불합리한 일이 아니다. 오히려 통행료를 내지 않는 것이 불공평하고 비민주적인 처사라고 해야 말이 된다.

그렇게 걷은 돈으로 그 도로를 유지 · 관리하고, 새로운 도로를 건설하는 것이다. 이것이 바로 수익자 부담 원칙이다. 한국은 나라 형편이 그리 넉넉하지도 못하면서 왜 도로 문제에 대해서만큼은 그렇게 인심이 좋은지 모르겠다.

총체적 무질서, 아 대한민국!

달리는 버스 안에서 승객들이 모두 일어나 덩실덩실 춤을 추다니……. 이런 장면은 한국 아니면 어디에서도 볼 수 없다. 이것도 모자라 이들은 운전을 하는 기사한테까지 마이크를 건넨다. 놀지 못해 안달이 난 사람들 같다.

일본도 마찬가지지만 한국 역시 최근 들어 사회가 급격히 넓어졌다. 간척 사업을 많이 해서 국토 면적이 넓어졌다는 이야기가 아니라, 사회가 발전함에 따라 개인이 활동할 수 있는 영역이 점점 더 커진다는 의미다.

그 현상 자체는 나쁠 이유가 없지만 사람들이 이런 급속한 변화를 수용하고 소화할 여유가 없는 탓에 심각한 부작용이 나타난다. 옛날 전통 사회에서는 마을이 조그마하고 사촌 팔촌으로 다 연결되어 있으니까 실수를 저지른 사람은 부끄러워서 발 붙이고 살아갈 수가 없었다. 그러나 요즈음에는 집 밖에 나가면 아는 사람도 없을 뿐더러 얼굴을 안다 해도 "당신이 남의 일에 무슨 상관이냐?"고 해 버리면 그만이니 사람들이 점점 더 뻔뻔스러워진다.

가끔 외국의 공항에서 공중전화를 걸기 위해 줄을 서서 기다리다 보면 여러 전화 중에 유난히 줄이 짧아지지 않는 곳이 있다. 그 앞에는 틀림없이 한국 사람이 수화기를 붙잡고 있는 경우가 많다. 별로 중요하지 않은 이야기, 나중에 만나서 해도 그만 안 해도 그만인 이야기를 그것도 값비싼 국제전화로 왜 그렇게 열심히 떠들어 대는지 알 수가 없다. 일부러 고개를 쑥 내밀고 얼굴을 빤히 쳐다보면 눈치를 한번 쓱 보고는 반대편으로 싹 돌아서서 계속 수다를 떤다.

이제는 아예 '공해'가 되어 버린 휴대폰도 마찬가지다. 굳이 공중도덕까지 들먹이기 전에 내가 통화하는 내용을 남이 들어서 좋을 게 뭐가 있겠는가. 듣고 싶어서 듣는 건 아니지만 뚫린 귀로 들리니까 가만히 들어 보면 정말 급한 이야기, 생산성 있는 이야기를 나누는 경우는 10퍼센트도 안 된다. 그런데도 식당이든 지하철이든 심지어는 비행기 안에서도 휴대폰 소리는 그칠 새가 없다.

어쩌다 외국의 관광지에 가 보면 '사진 촬영 금지'라는 팻말이 붙은 구역이 있다. 관광객이 사진을 안 찍으면 무슨 재미로 관광을 하겠는가. 그런데도 굳이 사진을 찍지 말라는 데에는 나름대로 이유가 있기 때문이다. 그런 장소에서 부득부득 사진을 찍다가 망신당하는 사람들, 십중팔구 한국 사람이다.

여러 나라 사람들 중 한국 사람을 한눈에 알아보는 방법은 또 있다. 비행기가 착륙하면 바퀴가 완전히 정지할 때까지 자리에서 일어나지 말아 달라는 스튜어디스의 간곡한 부탁이 몇 번이나 거듭된다. 그런데도 일단 활주로에 비행기 바퀴가 닿았다 싶으면 주섬주섬 일어나서 가방을 챙겨 들고 출입문 앞에 서 있어야 직성이 풀리는 사람도 틀림없이 한국 사람이다.

비행기가 떠날 때에도 마찬가지다. 전세계 어느 공항에 가 봐도 출국장에서 먼저 빠져 나가려고 앞사람을 밀치며 뛰어나가는 사람은 한국 사람밖에 없다. 비행기에 먼저 타서 '좋은 자리'를 잡을 수 있다면 그렇게 하는 것이 이해가 된다. 늦게 가서 비행기가 떠나 버리기라도 한다면 그것도 이해가 된다. 그러나 탑승객이 다 타지도 않았는데 훌쩍 가 버리는 비행기는 어디에도 없다. 도대체 이 현상을 어떻게 이해하면 좋은가?

한국 사람들이 고스톱 좋아하는 것은 아무도 못 말린다. 사실은 나 자신도 여기에 대해 왈가왈부할 자격이 없다. 나도 한때는 누구 못지않게 고스톱을 많이 쳤으니까. 고스톱하고 골프를 같이 해보면 그 사람의 인간성을 가장 빠른 시간 안에 파악할 수 있으므로 고스톱깨나 치러 다녔다.

여담이지만 유난히 고스톱을 좋아하는 한국 친구가 있다. 그래도 명색이 경찰서장까지 지낸 양반인데 정말 무지무지하게 고스톱을 좋아한다. 이 사람이 하도 고스톱을 열심히 치다 보니 허리에 탈이 나서 병원에 입원을 했다. 그래서 문병을 가 보니 침대에 떡하니 누워서 다른 문병객들과 고스톱을 치고 있는 것이 아닌가? 그 모습을 보고 나는 아주 질려 버렸다.

이렇게까지 고스톱을 좋아하는 사람들에게 외국에 나가서는 치지 말라고 할 수가 없다. 그 대신 가능하면 다른 사람들 눈에 뜨이지 않는 곳에서 쳤으면 좋겠다. 비행기든 기차든 가릴 것 없이 한국 사람 셋만 모이면 어김없이 벌어지는 화투판, 물론 나도 끼여 광이라도 팔고 싶지만 다른 외국인들로서는 좀처럼 이해되지 않을 것이다.

한국이 세계에서 교통사고가 가장 많이 나는 나라라는 것은 익히 알려진 사실이다. 단지 사고 건수가 많다는 데서 그치지 않는다. 다른 나라와 차이점이 있다. 정확한 통계는 확인해 보지 않았지만 한국에서는 택시나 버스 사고가 일반 승용차보다 더 많은 듯한 느낌이다.

택시나 버스를 운전하는 사람은 물론 자기 목숨도 소중하지만 돈을 받고 태워다 주는 승객들을 생각해서라도 더 안전하고 신중하게 차를 몰아야 한다. 얼마 전에도 관광 버스가 사고를 일으켜 정부의 고위직 관리가 희생되기도 했다. 언젠가 가만히 서 있는 관광 버스가 들썩들썩 움직이는 것을 보고 깜짝 놀란 적이 있다. 그래서 자세히 들여다보니 버스 안에 있는 승객들이 모두 일어나서 춤을 추는 바람에 버스가 들썩거린 것이었다.

다들 알겠지만 버스에는 좌석 벨트가 있다. 지금은 사라졌지만 옛날에 고속버스를 타면 안내양이 있어서 꼬박꼬박 안전 벨트를 매라고 방송했다. 좌석에 가만히 앉아 있어도 불의의 사고가 생기면 위험하니까 벨트를 매라는 이야기다.

실정이 이런데도 달리는 버스 안에서 승객들이 모두 일어나 덩실덩실 춤을 추다니……. 이런 장면은 한국 아니면 어디에서도 볼 수 없다. 이것도 모자라 이들은 운전을 하는 기사한테까지 마이크를 건넨다. 한 손으로 운전하면서 다른 손으로 마이크를 잡고 멋들어지게 한 곡조 뽑지 못하면 관광 버스 운전할 자격이 없다는 소리를 들었다. 놀지 못해 안달이 난 사람들 같다.

버스나 지하철 같은 대중교통 수단을 자주 이용하지는 않지만, 가끔 타면 젊은 사람이 노인에게 자리를 양보하는 광경을 심심찮게 본다. 노인을 공경하는 미덕만큼은 일본보다 한국 사람들이 나은 것 같다. 그러나 다른 한편으로 이런 것도 생각해 볼 필요가 있다.

일본의 노인들은 어지간해서는 지하철을 타지 않는다. 지하철을 타면 젊은 사람들이 자리를 양보해야 한다는 부담을 느낄 것이고, 그러면 그들에게 불편을 끼치기 때문이다. 설령 양보하지 않는 젊은이가 있다 해도 양보해야 한다는 의무감과 편하게 가고 싶다는 유혹 사이에서 얼마나 갈등할 것인가. 그러니 양보를 받지 않아도 그들에게 불편을 끼치기는 마찬가지다. 일본 노인들은 그렇게 생각하기 때문에 꼭 필요한 일이 아니면 아예 외출을 하지 않는다. 부득이하게 나갈 일이 있으면 승용차나 택시를 이용한다.

그런데 한국의 노인들은 이런 식으로 젊은이들에 대해 사려 깊게 생각하지 않는다. 오히려 나이 먹은 것을 무슨 특권으로 생각하는 것 같다. 자리를 양보한 젊은이에게 고맙다는 인사는커녕 당연히 자기 자리라는 듯이 그 자리를 차지하는 노인이 압도적으로 많으니 말이다. 오히려 양보한 사람이 쭈뼛쭈뼛 미안한 표정이다. 이게 도대체 무슨 경우인가? 젊은이들이 마음에서 우러나와 노인을 공경하는 것과 노인 스스로 오로지 나이를 먹었다는 이유 하나만으로 공경받을 자격이 있다고 생각하는 것은 아주 다른 문제다.

한국에서는 노인들이 가까운 육교나 횡단 보도를 두고 무단으로 도로를 건너다가 교통사고를 당하는 경우가 흔히 있다. 아무도 그런 사고가 일어나면 얼마나 큰 사회적 손실이 발생하는지 생각하지 않는다.

우선 사고를 당한 당사자가 다치거나 죽으면 가족이 얼마나 바빠지는가. 간병이다 장례다 해서 생활 패턴이 완전히 깨져 버린다. 사고를 낸 가해자는 또 어떤가. 비록 상대방 과실이라고는 하지만 조금만 주의했더라면 막을 수 있었을 사고를 일으켰으니 그에 따르는 경제적 심적 부담은 결코 만만치 않다.

그뿐인가. 사고 처리를 위해 보험 회사 직원, 경찰, 의사까지 줄줄이 바빠진다. 이 모든 사회적 손실이 노인이기 때문에 함부로 길을 건너도 괜찮다는 당치 않은 사고 방식 때문에 비롯되는데 어찌 황당하지 않을 수 있겠는가.

얼마 전에 나는 어떤 나라를 방문하고 돌아왔다. 50년 가까이 사회주의 정권의 통치 아래 있다가 최근 들어 자유경제 체제를 도입한 나라다. 그 나라에서 제일 먼저 발견한 것은 국민에게 '세금을 낸다' 는 마인드 자체가 없다는 점이었다. 50년 동안 가난할망정 모든 것을 나라에서 책임져 주었으니 세금은 물론 전기 요금, 수도 요금조차 왜 내야 하는지 모르는 것도 무리는 아닐 것이다.

공산주의로 그냥 남아 있겠다면 모르지만 자유경제를 도입한 나라의 국민이 세금을 안 내면 그 나라가 어떻게 앞으로 나아가겠는가. 안된 이야기지만 나는 그 나라를 둘러보면서 한국을 떠올렸다. 물론 그 속에 몸담고 살아가는 한국 사람들은 느끼지 못하겠지만, 바깥에서 바라보는 외국인에게는 그만큼 한국 사회가 터무니없이 무질서하고 무책임한 것으로 보인다.

교통 법규부터 지키시오, 아멘

나는 한국의 교회가 구원과 복음을 전하기 에 앞서 교통 법규를 지키고 공중 도덕을 지키라고 호소해야 한다고 생각한다. 그렇게 해서 교회에 다니는 사람들이 앞장 서서 질서를 지키면 머지않아 한국은 '하느님의 역사(役事)'와도 같은 놀라운 변화를 경험하게 될 것이다.

한국 사람들에게 남을 배려하는 마음이 부족하다는 점, 질서와 공중 도덕을 지켜야 한다는 관념이 없다는 점은 스스로도 인정하는 부분이다. 서구처럼 오랜 세월을 두고 시민 각자의 필요성 때문에 서서히 민주주의가 발달한 곳이라면 문제가 다르다. 하지만 어느 날 갑자기 "오늘부터 민주주의 합시다!" 하는 식으로 외래 제도가 도입된 사회에서는 한동안 혼란이 빚어질 수밖에 없다.

그러한 혼란을 바로잡는 방법은 두 가지다. 하나는 국가가 강력하게 법을 집행함으로써 질서를 지키지 않으면 안 되도록 강제하는 것이고, 또 하나는 교육을 통해 국민 스스로 도덕과 질서를 지키도록 가르치고 훈련시키는 것이다. 지나치게 강제에만 의존하면 오히려 반발이 일어나거나 인권이 침해되는 등 부작용이 일어날 수 있다. 그렇다고 자발적으로 시민의식이 성숙되기를 기다린다면 오랜 세월 동안 무질서 상태를 감수해야 한다. 따라서 이 두 가지를 적절하게 조화시키는 지혜가 필요하다.

그러나 유감스럽게도 대한민국은 정부 자신부터 법과 질서를 지키고자 하는 의지가 없다. 법과 질서를 지키지 않고 철새처럼 시류에 따라 여기저기 떠다니는 사람일수록 높은 지위를 차지할 가능성이 많아진다. 그런 정부라면 국민에게 법과 질서를 지키라는 말을 할 자격이 없다. 그런 소리를 백날 해 봐야 아무도 듣지 않는다.

교육 역시 처음부터 끝까지 대학 입시에만 매달려 있다. 가르치는 선생 자신부터 수단과 방법을 가리지 않고 학생들을 명문대학에 집어넣는 것을 지상 과제로 삼고 있다. 심지어 교사라는 자리를 이용해서 학부모에게 돈을 뜯어내는 데 혈안이 된 선생이 있다는 소문도 들린다. 사회환경이 이러니 질서 교육, 도덕 교육이 끼어들 여지가 없다.

내가 보기에 마지막으로 기대를 걸 곳은 종교밖에 없다. 다행히 한국에는 종교를 믿는 사람이 대단히 많다. 밤에 좀 높은 곳에 올라가 아래를 내려다보면 거짓말 조금 보태서 한 집 건너 하나씩 빨갛게 불을 밝힌 교회의 십자가가 보인다. 성남시로 들어가다 보면 집 없는 빈민이 모여 사는 비닐 하우스촌이 있는데, 거기에도 어김없이 교회가 있다.

미리 밝혀 두지만 나는 종교를 믿지 않는다. 그러나 무릇 종교라면 세파에 지친 힘없는 인간들을 따뜻이 위로해 주고 어떻게 살아가야 할지 삶의 방향을 제시해 주는 역할을 해야 한다고 생각한다.

나는 사람들이 종교에 의지하는 이유가 바로 그것이라고 생각한다. 특히 기독교가 한국에 들어온 지 얼마 되지 않았는데 세계 역사상 유례를 찾아볼 수 없을 정도로 급속한 성장을 거듭하고 있다면, 한국 사람들이 무엇엔가 의지하고 싶은 갈망이 그만큼 크다는 쪽으로 해석해도 큰 무리가 아닐 것이다.

일본에 기독교가 들어온 지 300년이 넘었지만 교인은 겨우 300만 명이 될까말까다. 다른 종교도 사정은 크게 다르지 않다. 여기에는 국민성을 비롯한 여러 가지 이유가 있겠지만, 기본적으로는 일본 사람들이 종교에서 도피처를 찾아야 할 만큼 삶이 어렵고 힘들지 않기 때문이라는 것이 내 생각이다.

일본과 달리 한국 사람들은 끝없이 이어지는 고난과 시련의 세월을 살아왔다. 그러므로 어디엔가 심신을 기댈 언덕이 있지 않으면 안 된다. 불행하게도 나라는 기댈 언덕이 되어 주지 못했다. 무슨 일만 터지면 자기 먼저 도망갈 궁리부터 하니까 말이다. 그래서 한국 사람들은 지연이다 학연이다 혈연이다 따질 수 있는 것이면 무엇이든 따져서 상대방하고 연결되는 공통점을 발견해야 한다. 거기에라도 의지하지 않으면 불안해서 도저히 살아갈 수가 없는 것이다.

그런 한국 사람들에게 지금은 힘들고 괴롭지만 천국에 가면 편안하고 풍요롭게 살 수 있다는 희망은 말 그대로 '복음'이 아닐 수 없다. 내 생각이 맞는지 틀리는지 모르지만 아무튼 나는 한국에 이토록 교회가 많은 이유를 그렇게 풀이하고 있다.

한데 그토록 기독교 신자가 많은 나라가 왜 나 같은 외국인한테서 '무법 천지'라는 소리를 들어야 하는지 그 이유를 진실로 납득할 수 없다. 나는 교회에 다니지 않기 때문에 한국의 목사들이 신자들에게 어떻게 설교하는지 알지 못한다. 그러나 그 많은 교회에서 원수를 사랑하고, 오른쪽 뺨을 맞으면 왼쪽 뺨을 내밀라는 예수 그리스도의 가르침을 제대로 전파하고 있다면 한국 사회가 지금 같지는 않을 것이다.

한국의 지난번 대통령은 기독교 장로였고, 지금 대통령은 천주교 성당에 다닌다. 정치 지도자들도 대부분 교회에 다닌다. 뿐만 아니다. 좋은 성적을 올린 운동 선수에게 카메라를 들이대고 소감을 물으면 제일 먼저 "하느님에게 감사드린다"고 대답하는 경우도 있다.

일요일 아침에 교회 근처를 지나다 보면 두 가지 풍경을 볼 수 있다. 예배 보러 온 사람들이 제멋대로 차를 세워 놓은 탓에 다른 차가 마음대로 지나갈 수 없는 교회가 있고, 목사인지 집사인지 모르지만 어깨에 띠를 두른 사람이 나와서 교통 정리를 하는 교회가 있다. 그나마 무질서한 쪽보다 낫기는 하지만 제대로 된 교회라면 굳이 사람이 나와서 교통 정리를 할 필요가 없어야 정상이다.

나는 한국의 교회가 구원과 복음을 전하기에 앞서 교통 법규를 지키고 공중 도덕을 지키라고 호소해야 한다고 생각한다. 그것이 예수 그리스도의 가르침에 어긋나지는 않을 것이다. 그렇게 해서 교회에 다니는 사람들이 앞장 서서 질서를 지키면 머지않아 한국은 '하느님의 역사(役事)'와도 같은 놀라운 변화를 경험하게 될 것이다.

한국 사람들이 명절마다 꼬박꼬박 차례를 지내고 조상의 기일이 돌아오면 제사 지내는 풍습을 지키는 것이 참 좋아 보인다. 일본은 같은 유교 국가이면서도 한국처럼 철저하게 제사를 지내는 사람들이 얼마 되지 않는다. 그러나 아무리 좋은 풍습도 본래 정신을 잃어버리고 형식만 남은 것이라면 차라리 없는 것만 못하다. 차례를 지내고 제사를 지낸다는 것은 기본적으로 오늘의 나를 있게 해 준 조상에게 감사드린다는 의미며, 나아가 후손들을 어여삐 여겨 복을 내려 주십사 하고 기원하는 의미기도 하다. 그런 면에서 제사를 지내는 것 역시 예배를 드리거나 불공을 드리는 것과 같은 종교적 행위라 해도 무리가 없을 것이다.

이렇게 돌아가신 조상에게까지 감사할 줄 아는 사람이라면 명절을 맞아 시골에 차례를 지내러 내려가면서 차창 밖으로 쓰레기를 집어 던지는 행동은 하지 말아야 한다. 경건한 마음으로 질서를 지키고 운전도 평소보다 더 한층 신중하게 하는 것이 마땅하다. 그러나 해마다 명절이 지나면 텔레비전 뉴스에서는 이번 명절 때 교통사고로 죽은 사람이 몇 명이며 고속도로변에 쌓인 쓰레기가 몇 톤이라는 보도가 나온다. 그러려면 뭐 하러 조상을 섬기고 제사를 지내는지 모르겠다.

'폭탄주'의 나라

한국 사람들은 정말로 겁나게 술을 마신다. 얼마 전 일본에서도 대학생이 한국에서 수입한 '폭탄주'를 마시다가 목숨을 잃었다는 뉴스를 본 일이 있다. 폭탄주는 단연 한국 사람들의 발명품이다.

어떤 한국 사람이 일본에 여행 갔다 온 이야기를 하면서 지하철 이야기를 하더란다. 지하철을 탔는데 미니스커트를 입은 일본 아가씨들이 주르륵 앉아 있더라. 근데 세상에, 그 아가씨들이 모두 노팬티더라! 그보다 고전적인 얘기로는 기모노가 있다. 일본의 전통의상 기모노는 옷을 펼치고 누우면 순식간에 정사를 위한 자리가 된다더라! 이런 식으로 일본인의 선정성을 놓고 입방아를 찧는 한국 사람이 참 많다.

일본 문화의 폭력성과 함께 선정성을 걱정하는 견해가 반영된 이야기일 것이다. 그러나 내가 보기에 이것은 큰 문제가 되지 않을 듯하다. 일본 영화가 선정적이고 야하다는 선입관을 가진 사람이 많은데 실제로는 그렇지 않다. 제일 야하다는 일본 영화가 한국의 3류 극장에서 상영되는 엉터리 포르노 수준에서 크게 벗어나지 않으니 말이다.

일본 사람들이 하나같이 광적으로 섹스를 좋아하는 것으로 생각해 '섹스 애니멀' 이라고 부르는 한국인이 많다. 하지만 일부 극성맞은 일본 사람이 일찍부터 기생 관광이다 뭐다 해서 설치고 다니는 바람에 그런 별명을 얻었을 뿐이다.

이런 이야기까지 해도 되는지 모르지만, '정력' 하나만 놓고 보면 한국 남자들이 일본 남자보다 훨씬 세다. 틀림없는 사실이다. 한국 사람들이 많이 먹는 마늘 때문이 아닐까 싶다.

사실 마늘을 먹고 안 먹고는 지극히 사소한 식성의 차이일 뿐이다. 그런데 일부 일본 사람이 한국 사람을 차별한다면 그 이유 가운데 하나가 바로 이 마늘일 것이다. 마늘을 먹으면 마늘 냄새가 나는 것은 당연하다. 그런데 그 냄새에 익숙하지 않은 일본 사람 중에는 상당히 민감하게 반응하는 이들이 있다.

일본 사람들이 섹스를 좋아한다는 근거로 언급되는 것이 이른바 '원조 교제' 인데, 나로서도 여기에 대해서는 할 말이 없다. 원조 교제에 나서는 아이들이 여고생도 아니고 여중생이라는 사실은 놀라운 일이다.

한때 일본에서도 이른바 '생계형 매춘' 이 성행한 적이 있다. 일본에서 매춘 금지령이 발효된 날짜는 1958년 4월 1일이다. 내가 왜 이렇게 날짜까지 정확하게 기억하고 있느냐면 바로 그 전날이 내가 대학교를 졸업한 날이기 때문이다.

나는 대학을 졸업할 때까지만 해도 바깥에서 저녁을 먹고 들어가면 아버지에게 매를 맞았다. 외박 같은 것은 상상도 할 수 없었다. 그러나 예외가 전혀 없는 것은 아니어서 시험 때면 친구 집에서 공부한다는 핑계를 대고 집에서 빠져 나와 밤새 놀러 다니기도 했다.

그때만 해도 거리에서 몸을 파는 여자들은 하나같이 병든 부모를 봉양해야 하거나 동생 학비를 벌어야 하는 절박한 사정을 안고 있었다. 그래서 어쩌다 유흥가에서 잠을 자고 온 친구들 중에는 같이 잔 아가씨가 '이런 데 다니지 말고 공부 열심히 하라'며 헤어질 때 용돈까지 주더라고 자랑하는 녀석들까지 있었다.

그런데 요즈음 원조 교제는 그런 것과는 전혀 딴판이다. 일본 여학생들이 원조 교제에 나서는 가장 큰 이유는 바로 휴대폰 때문이라고 한다. 일본의 부모들은 아무리 돈이 많아도 중고등학교 다니는 자식에게 휴대폰을 사 주지 않는다. 하지만 아이들이 놀러 다니려면 휴대폰이 꼭 필요하다. 그러니 천상 자기가 벌어서 사는 수밖에 없다. 게다가 매달 꼬박꼬박 내야 하는 요금도 만만치 않다. 부모 몰래 휴대폰을 샀는데 부모한테 요금을 달라고 할 수는 없는 노릇이니까. 그래서 그런 아이들이 원조 교제에 나선다. 하룻밤만 눈 질끈 감고 있으면 한 달 휴대폰 요금을 벌 수 있는 것이다.

그런데 이런 상황은 한국 역시 크게 다르지 않다. 1970년대 초반 내가 처음 한국에 왔을 무렵만 해도 일본에서 놀러 온 친구들이 입을 딱 벌리곤 했다. 술집에 가면 도대체 어떤 아가씨를 골라야 좋을지 모를 정도로 예쁜 여자가 너무나 많았던 것이다. 당시만 해도 대부분 '가족 때문에' 몸을 팔았지만 요즈음에는 외국 여행을 가기 위해, 모피 코트를 사기 위해, 외제 자동차를 굴리기 위해 몸을 판다.

말이 나왔으니 이야기하는데 한국 사람들은 정말로 겁나게 술을 마신다. 얼마 전 일본에서도 대학생이 한국에서 수입한 '폭탄주'를 마시다가 목숨을 잃었다는 뉴스를 본 일이 있다. 폭탄주는 단연 한국 사람들의 발명품이다.

나도 일본에서는 술깨나 먹는다는 소리를 들었는데, 한국에 와 보니 게임이 되지 않았다. 초창기에 군인들하고 어울려서 술을 많이 먹었는데, 한번 발동이 걸렸다 하면 재떨이에까지 양주를 따라서 벌컥벌컥 들이켜곤 했다. 패기만만하던 나는 그때까지만 해도 남한테 지고 싶지 않은 쓸데없는 오기가 있어서 몰래 화장실에서 다 게워 내고는 또 술을 마셔 댔다.

지금은 몸이 나빠져서 술을 입에 대지 않은 지 오래지만, 한국 사람들과 빨리 친하게 사귀기 위해서는 같이 술 먹는 게 최고라는 사실을 일찌감치 터득하고 열심히 술자리를 쫓아다녔다. 심지어 1년을 통틀어 술집에 가는 횟수가 1천 번이 넘지 않나 하는 생각이 들 때도 있었다. 이렇게 말하면 대개 "에이, 1년이 365일인데 어떻게 1천 번을 가?" 하고 허풍이라고 생각하겠지만, 한국 사람들이 한번 마셨다 하면 2차, 3차는 기본이라는 사실을 감안하면 꼭 그렇지만도 않다.

한국 사람들의 음주 습관을 보자. 우선 저녁을 먹으면서 가볍게 술을 마신다. 그 다음에는 살롱 같은 곳으로 2차를 가서 본격적으로 술을 마신다. 마지막으로 나이트클럽에 가서 또 마신다. 당시만 해도 통행금지가 있을 때여서 한번 나이트클럽에 들어가면 다음날 새벽까지 줄창 마셔야 했다. 이런 날이 하루도 거르지 않고 계속되면 1년에 1천 번은 거뜬히 갈 수 있다.

한편 일본의 음주 문화는 아주 다르다. 일본에는 이렇게 술을 먹는 사람이 거의 없다. 퇴근길에 직장 동료들끼리 '이치코푸 하자!' 고 의기가 투합해서 모여도 말 그대로 이치코푸(한 잔)만 홀짝 마시고 미련 없이 일어선다.

일본 사람들은 친한 친구라 할지라도 술에 취해서 횡설수설하면 아예 인간 취급을 안 해 버린다. 같이 차를 타고 가다가 술기운이 올라와서 헛소리를 지껄인다 싶으면 미련 없이 차를 세우고 "너 내려!" 하고는 혼자 가 버린다. 그 정도로 자기 자신을 절제하지 못하는 사람이라면 친구로 지낼 가치가 없다고 생각하는 것이다.

그러나 한국에서는 체질적으로 술을 못 먹는 사람이나 약을 먹고 있어서 먹으면 안 된다는 사람에게도 억지로 잔을 돌리고 폭탄주를 권한다. 어떻게든 상대를 취하게 만들고 자기도 취해야 오늘 술 잘 마셨다며 만족해 한다. 술에 취해서 실수를 하면 오히려 인간적으로 가까워지는 계기가 된다며 좋아한다.

어느 쪽이 좋다 나쁘다 말하고 싶지는 않다. 어쩌면 내가 한국에서 이렇게 버티고 있는 이유도 그런 한국 사람들의 습성이 나하고 맞기 때문인지도 모른다. 아무튼 한국 사람들이 일본 사람들에 비해 그렇게 많이, 자주, 급하게 마시는 것은 술의 힘을 빌려서라도 잊어버리고 싶은 기억, 떨쳐 버려야 할 스트레스가 많기 때문이 아닐까 싶다.

3

맞아죽을 각오로 쓴
한국 · 한국인 비판

전과자가 떵떵거리는 나라?

전세계를 통틀어 국회의원 가운데 '전과자'가 차지하는 비중이 대한민국만큼 높은 나라는 어디에도 없을 것이다. 뇌물을 받아 교도소에 갔다 온 사람들이 버젓이 국회의원으로, 지방자치단체장으로 당선되는 곳이 한국이다.

"차는 메이드 인 코리아지만 엔진은 메이드 인 재팬입니다."

1970년대 후반 한국 자동차 회사가 자사 자동차를 캐나다에 수출할 때 내세운 광고 카피다. 물론 틀린 말은 아니다. 그렇게라도 해서 수출하고 싶은 마음이야 짐작되지만 나로서는 좀처럼 이해하기 힘든 문구가 아닐 수 없었다.

사정은 지금도 크게 달라지지 않았다. 무슨 회사의 어떤 자동차가 외국의 성능 평가에서 높은 점수를 받았다는 기사가 한국 언론에 심심찮게 나오지만, 아직도 자동차 분야에서 한국과 일본 사이에는 엄청난 기술 차이가 있다는 사실을 누구도 부정할 수 없다.

일제 자동차는 출고되어 폐차할 때까지 거의 한 번도 수리 공장에 들어가지 않고 수명을 다한다. 연비만 해도 일제 자동차와 한국 자동차 사이에는 두 배 가까이 차이가 난다. 2천cc급 한국 자동차는 보통 연료 1리터로 잘해야 16킬로미터 정도 달리지만, 배기량이 같은 일본 자동차는 31킬로미터를 간다. 노란 번호판이 붙은 500cc급 경차는 36킬로미터 이상 달릴 수 있다. 한국에서는 경차 기준이 800cc지만 일본에서는 500cc 미만이 경차로 대우받는다. 옛날에는 360cc짜리를 경차라고 했는데, 아직도 일본 곳곳에서 그 차들이 멀쩡하게 굴러다니는 광경을 볼 수 있다. 통계에 따르면 한국 굴지의 한 자동차 회사는 매년 일본 자동차 회사에서 6억 달러 가량 부품을 수입하고 있다. 또 다른 자동차 회사는 3억 달러 정도라고 한다.

내가 이야기하고 싶은 것은 한국과 일본의 자동차 기술에 이 정도로 차이가 있다는 것이 아니다. 그런 차이가 있으니 애당초 일본하고 경쟁하겠다는 생각은 꿈도 꾸지 말라는 것도 물론 아니다. 기술에 차이가 나는 것은 한국이 늦게 출발했기 때문에 생긴 문제일 뿐이다. 머리 좋고 똑똑한 한국 사람들이므로 열심히 노력하면 그 정도는 금방 따라잡을 수 있다.

중요한 것은 바로 애국심이다. 도대체 한국 회사가 자동차를 수출하면서 엔진은 일제니까 마음놓고 타도 된다는 식으로 광고하겠다는 생각이 어떻게 나왔는지 알 수가 없다.

정치판 역시 마찬가지다. 전세계를 통틀어 국회의원 가운데 '전과자'가 차지하는 비중이 대한민국만큼 높은 나라는 어디에도 없을 것이다. 뇌물을 받아 교도소에 갔다 온 사람들이 버젓이 국회의원으로, 지방자치단체장으로 당선되는 곳이 한국이다. 이것은 애국심이 투철하지 않기 때문에 벌어지는 일이다. 그렇지 않고서야 어떻게 부정과 비리를 저지른 사람에게 나라 일을 맡길 수 있겠는가.

가끔 부정 시비에 휘말린 정치인이나 공직자가 찾아와 일본으로 도망갈 방법이 없겠냐고 묻는 경우가 있다. 물론 나한테는 그만한 영향력이 없지만, 설령 있다 해도 안 될 말이다. 파워 게임에 밀려서 억울하게 누명을 썼더라도 공직에 몸담고 있는 사람이라면 자기 행동에 대한 책임은 반드시 져야 한다.

고위층 혹은 부유층 자녀들의 병역 기피 문제 또한 일본 사람인 내가 봐도 도저히 용납할 수 없는 일이다. 그들이 그만한 권력과 부를 움켜쥐었다면 자신의 권력과 부를 지키기 위해서라도 앞장서서 자식을 군대에 보내야 마땅하다. 아니면 먹고 살기가 빠듯해서 당장 돈을 벌지 않으면 가족을 부양할 수 없는 사람들이 군대에 가서 가진 자들을 위해 나라를 지켜야 한단 말인가.

차관까지 지내고 물러난 어느 공직자는 지금도 만날 때마다 나에게 곤욕을 치른다. 군대에 갔다 오지 않았기 때문이다. 물론 결격 사유가 있어서 못 간 것이 아니라 가기 싫어서 안 갔을 뿐이다. 이 문제로 그는 친동생한테까지 싫은 소리를 듣는다. 그의 아버지가 "나 돈 많으니까 너도 군대 안 가도 된다"고 했지만, 동생은 기어코 군대에 갔다 왔다. 그런데도 그 공직자는 아직까지 진심으로 반성한다는 말을 한 적이 없다.

따지고 보면 비단 어제 오늘의 일이 아니다. 역사적으로 한국에서는 나라에 위기가 닥치면 언제나 정부가 앞장 서서 도망을 갔다. 몽골의 침입을 받았을 때에도, 임진왜란 때에도 임금은 이리저리 도망 다니기 바빴다. 한국전쟁 때 이승만 대통령은 자기가 도망가고 난 다음에 한강 다리를 폭파시켜 버렸다. 그 때문에 얼마나 많은 사람이 죽었는가. 그러고 나서도 그는 10년 동안이나 대통령 자리에 앉아 있었다.

어디 그뿐인가. 지금도 한국 사회의 상류층 사람들은 이렇게든 저렇게든 미국에 연줄이 있다. 전부라고 할 수는 없겠지만 그 가운데 상당수는 미국으로 도망갈 준비를 해 두었다고 나는 생각한다.

IMF 위기를 맞아 온 국민이 금을 모으고 달러를 모을 때에도 외화 밀반출 사건은 끊이지 않았다. 일부 기업인은 입만 열면 '뼈를 깎는 구조조정'을 외치면서 뒤로는 경치 좋은 외국 땅에 호화로운 별장을 마련해 두고 있었다.

회사는 부도 직전이라고 연일 신문에 오르내리던 모 그룹 회장이라는 사람이 외국에 출장을 가면 특급 호텔 한 층을 모조리 빌리는 것도 모자라 헬기까지 동원해서 골프 치러 간다며 난리를 피운다. 그런 사람들에게서 어떻게 애국심을 발견할 수 있는가.

과장이라고 생각하겠지만 절대 그렇지 않다. 내 눈으로 직접 보았으니까 하는 말이다. 명예훼손 문제만 아니라면 이름을 밝힐 수도 있다.

한국에서 재벌 그룹 회장이라 해도 전세계적으로 보면 그 정도 돈을 가진 사람은 얼마든지 있다. 그런 '회장님'들이 외국에 나가서 호텔 한 층을 다 차지하고 거들먹거리면 세상이 존경의 눈으로 바라보는 것이 아니라 그저 비웃을 뿐이라는 사실을 본인은 모르는 모양이다.

사회 지도층으로 올라갈수록 더욱 모범을 보이기는커녕 애국심이 점점 엷어지는 상황이 계속되면 머지않아 국민조차 애국심을 길러야 할 필요성을 잃어버릴지도 모른다.

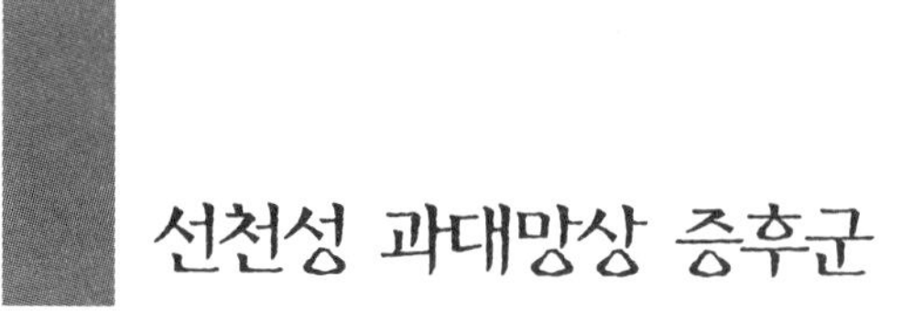

선천성 과대망상 증후군

문제는 외국의 평가가 낮은 데 있지 않다. 실제 평가는 낮은데도 한국 사람 스스로는 아주 높은 것으로 착각하는 것이 정말 심각한 문제다.

1970년대 초반 처음으로 한국 땅을 밟았을 때 나는 제일 먼저 '동방예의지국' 이라는 말을 배웠다. 그 말 속에 역사적으로 어떤 이데올로기가 담겨 있는지는 깊이 생각해 보지 않았지만 그때만 해도 아, 그런가 보다 했다.

그런데 근래 들어서는 그 말을 들을 기회가 없었다. 한국 사람 스스로도 이제는 한국이 더 이상 '동방예의지국' 이 아니라는 사실을 깨닫고 그 말의 사용을 자제하는 것인지도 모르겠다.

앞에서 소개한 중국 골프장 이야기는 하나의 에피소드일 뿐이지만 중국 사람들, 나아가 전세계 사람들이 한국이라는 나라를 바라보는 시각이 고스란히 담겨 있다.

객관적인 자료가 있는 것은 아니지만 내가 보기에 중국 사람들은 홍콩 사람을 가장 싫어한다. 이유는 단 하나, 같은 민족이지만 돈깨나 있다고 으스대는 꼴이 마음에 들지 않는다는 뜻이다. 그 다음으로는 한국 사람들을 싫어한다. 골프장 출입 금지 소동이 그 점을 단적으로 드러내 준다.

베트남 사람들도 마찬가지다. 지금부터 3, 4년 전에 베트남을 방문한 적이 있는데, 거리를 걸어가면 조그만 코흘리개들이 구걸을 하며 우리 일행 뒤를 따라다녀서 여간 성가신 것이 아니었다. 그때 같이 있던 일본 대사관 직원이 내 귀에 대고 이렇게 속삭였다.

"일본 사람이라고 하지 말고 한국 사람이라고 하세요. 그러면 저 아이들 다 도망갑니다."

물론 베트남 사람들이 한국 사람을 싫어하고 무서워하는 것은 베트남 전쟁 때 한국 군인들이 보여 준 용맹성(?) 때문이기도 하다. 그러나 그게 다는 아니다. 베트남 사람들은 돈 조금 있다고 잘난 체하고 자기네를 업신여기는 한국 사람들을 싫어한다.

까짓 중국 사람들이나 베트남 사람들이 우리를 좋아하지 않으면 어떤가 하고 생각하는 사람이 있을지도 모른다. 하지만 그것은 착각이다. 그들이 한국 사람을 싫어하는 것은 한국 사람들이 자초한 결과다. 한국 사람들이 철저하게 자기 자신을 반성하고 행동거지를 고치지 않는 한 세계 어디를 가도 환영받지 못한다.

한국 사람들의 가슴속에는 우리는 이미 세계 열한 번째 경제대국이며 경제협력개발기구(OECD)에도 가입했고, 선진국의 문턱을 넘어섰다는 자부심이 가득하다. 지금은 경제 위기를 맞고 있지만 '내가 잘못해서' 이렇게 되었다고 생각하는 사람은 아무도 없다. 그러면서도 어차피 위기는 지나갈 것이고, 그러고 나면 다시 옛날처럼 앞으로 달려갈 것이라는 막연한 기대를 품고 있다.

물론 나는 누구보다도 정말 그렇게 되기를 간절히 바라는 사람이다. 그런 바람이 있기 때문에 이런 '쓴 소리' 도 할 수 있다. 이 골프장에서 쫓겨나면 다른 골프장에 가거나 아예 안 쳐 버리면 그만이다. 그러나 세계 무대에서 쫓겨나면 그때에는 어쩔 것인가? 수출도 수입도 안 하고 쇄국 정치, 자급자족 경제로 돌아갈 것인가?

나는 직업상 세계 각지를 돌아다닌다. 그 중에는 한국과 관련된 일이 많다. 그렇게 한 번씩 나갔다가 한국으로 돌아올 때마다 느끼는 것이 있다. 한국 사람들은 스스로를 너무 과대 평가하고 있다는 것이다. 세계는 한국 사람들이 생각하는 것만큼 한국을 높이 평가하지 않는다는 사실을 알아야 한다.

IMF 위기가 닥쳐 경제가 어렵기 때문에 외국의 평가가 낮아진 것이 아니다. 이런 식으로 막 나간다면 대한민국이 세계 제일의 경제대국이 되더라도 그 평가는 달라지지 않을 것이다. 문제는 외국의 평가가 낮은 데 있지 않다. 실제 평가는 낮은데도 한국 사람 스스로는 아주 높은 것으로 착각하는 것이 정말 심각한 문제다.

언제부터인가 한국에서 유행이 되어 버린 '공주병' 이란 말이 있다. 남들은 어떻게 보든 자기가 예쁘다고 생각하는 여자들에게 붙여 주는 별명 말이다. 자신이 공주처럼 예쁘고 부티나는 여자라는 환상에 빠진 공주병 환자들은 착각에서 헤어날 줄을 모른다. 공주병 환자들은 남들이 아무 생각 없이 슬쩍 쳐다만 봐도 '어머, 저 봐. 내 미모가 자석처럼 저들을 끌어들이는 거야' 하고 착각한다나 어쩐다나. 아무튼 현실을 직시하지 못한 채 남의 쓴 소리는 귀담아듣지 않고 언제까지나 자기 만족에 빠져 그 자리에서 허우적대는 공주병 환자와 일부 몰상식한 한국인은 닮은 점이 많다.

국제 사회에서 자기 조국이 차지하는 위치가 어느 지점인지 정확하게 파악하는 것만큼 중요한 일이 없다. 그래야 계획도 세우고 대책도 세울 수 있다. 그러나 대한민국은 정부도 그렇고 언론도 그렇고 아주 작은 꼬투리라도 있으면 부풀려서 마치 한국이 세계 최고인 양 선전하기 바쁘다.

신문을 가만히 들여다보면 '세계 최초로 개발에 성공한' 발명품이 어찌 그리 많은지 숫제 한국이 세계에서 제일 가는 과학기술 선진국인 것 같다. 그러나 실제로는 약국 진열대에 전시된 수많은 약품 가운데 한국이 개발한 '신약'이 거의 없다는 사실에 대해선 어떻게 생각하는가? 근래 들어서야 한국의 어느 제약회사가 신약 개발을 눈앞에 두고 있다는 기사를 읽었다.

한국이 가장 자랑하는 효자 수출 품목인 반도체만 해도 마찬가지다. 신문을 보면 몇 메가 D램 반도체를 세계 최초로 개발했다느니, 미국과 일본을 누르고 세계 제일의 반도체 수출국이 되었다느니 하는 기사가 수시로 나온다. 그러나 한국 회사가 반도체 하나를 수출할 때마다 미국과 일본의 특허권자에게 꼬박꼬박 기술료를 물고 있다는 이야기는 눈을 씻고 찾으려야 찾을 수 없다.

이런 현상의 배경은 한국 역사에서 찾을 수 있다. 지구상에서 반도(peninsula)라는 지정학적 위치에 있는 나라가 다 그렇듯이 한국 역시 수없이 외세의 침략을 받아 왔다. 대부분 투지와 용기로 물리쳤지만 몇 번은 불가항력으로 외세의 지배를 당했다.

그러다 보니 한국 사람 특유의 자존심, 일종의 오기가 생겨난 것 같다. 내가 지금은 힘이 약해서 고난을 당하지만 그렇다고 정신과 뿌리까지 흔들리지는 않는다. 언젠가 때가 되면 반드시 떨치고 일어나 복수하고 떳떳하게 살겠다며 절치부심한다. 한국 사람은 그런 자존심으로 온갖 역경을 헤쳐 나왔다.

물론 그런 자존심과 오기는 한국 사람들의 엄청난 장점이다. 그 덕분에 경제도 스포츠도 크게 발전했다. 그러나 자존심과 오기가 지나치면 아집과 독선, 자만심으로 굴러떨어진다는 점을 알아야 한다. 유감스럽게도 나로서는 한국 사람들의 모습이 후자에 가까운 것이 아닌가 하는 걱정을 떨쳐 버릴 수 없다.

누가 뭐라든 남 눈치 안 보고 나 하고 싶은 대로 산다? 그것 자체는 비굴하지 않고 당당해서 좋다. 아무리 세계화 시대가 되어도 그런 자세와 마음가짐은 누구에게나 필요하다. 그러나 엉뚱한 방향으로 빗나가서는 곤란하다.

한국 사람들이 남의 눈치를 안 보는 것은 아니다. 체면치레에 엄청나게 신경을 써 이웃과 친지의 결혼식이나 장례식에는 안 가면 큰일나는 줄 알고 돈봉투를 들고 찾아간다. 마음에서 우러나오지 않고 귀찮아 하면서도 마지못해 찾아간다. 체면 때문이다. 그러나 정작 남의 눈치를 보고 체면을 차려야 할 때와 굳이 그럴 필요가 없는 때를 명확하게 구분하지 못하는 것이 문제다.

예를 들어 교통 법규를 위반하거나 공중 도덕을 무시할 때에는 눈치고 체면이고 없다. 그러다가 막상 교통 경찰한테 걸리면 그때부터는 돈까지 쥐여 주면서 비굴하리만치 굽신거린다.

내 생각에는 거꾸로 되어야 맞는 것 같다. 정 급하고 불가피한 사정이 있으면 교통 법규를 위반할 수도 있다. 그럴 때에도 최소한 체면은 지키고 남한테 피해를 주지 않도록 이리저리 '눈치'를 살펴야 한다. 그러다가 경찰한테 적발되면 오히려 당당하게 잘못을 인정하고 벌금만 내면 그만이다.

이제 국제화, 세계화라는 말이 별다른 의미를 갖지 못할 정도로 세계는 하나가 되고 있다. 그렇게 하나가 된 국제 사회에서 국가가 다르고 언어와 습관이 다른 남들의 인정과 존경을 받지 못하면 살아갈 수가 없다. 하지만 지금처럼 안하무인 격으로 행동해서는 절대로 남들의 인정과 존경을 받을 수 없다는 사실 하나만은 분명히 알아야 한다.

지금은 전세계가 '일일 생활권'으로 묶인 시대다. 교통과 통신 기술의 발달 덕분에 반도라는 지정학적 조건이 어쩔 수 없이 외세의 침략을 감수해야 하는 불리한 요소로 작용하지 않는다는 말이다. 이제는 과거 역사에서 비롯된 해묵은 피해 의식을 떨쳐 버리고, 한국인 스스로 내리는 평가에 걸맞은 역량을 쌓기 위해 노력해야 할 때다.

IMF-마침내 올 것이 왔다

개인이 돈을 빌려도 언제 얼마를 벌어서 어떻게 갚겠다는 계산을 하게 마련이고, 그런 계산이 서지 않으면 돈을 빌릴 수가 없다. 그런데 대한민국은 기업도, 은행도, 정부까지도 아무도 그런 간단한 계산을 하지 않았다.

내가 입바른 소리를 하고 다녀서 그런지 모르지만 적지 않은 사람이 나에게 이런 질문을 던진다.

"한국이 IMF 위기를 맞게 된 이유가 뭐라고 생각합니까? 또 이 위기를 극복하기 위해서는 어떻게 하면 됩니까?"

위기를 맞게 된 이유에 대해서는 할 말이 많다. 내가 이 책에서 지적한 내용이 모두 IMF 위기를 초래한 직간접적인 원인이라고 할 수 있으니까 말이다. 그러나 극복 방법에 대해서는 할 말이 별로 없다. 궁극적으로는 이 책에서 지적한 내용을 하나하나 고쳐나가면 될 거라고 대답할 수 있지만, 그 정도 처방으로는 아무도 만족시킬 수 없을 것이다.

우선 한국뿐만 아니라 세계적으로 경제위기가 찾아오게 된 직접적인 원인을 나는 땅값 하락에서 찾고 있다. 땅은 한정되어 있다. 대규모 간척 사업을 벌이지 않는 이상 공장에서 땅을 만들어 낼 수도 없다. 그런데 인구는 자꾸만 늘어 간다. 그런 이유로 무슨 일이 있어도 땅값은 떨어지지 않는다.

얼마 전까지만 해도 이 말은 사실이었다. 그런데 지금은 아니다. 세계 곳곳에서 땅값이 폭락하는 사태가 벌어지고 있다. 외국에서 땅을 사느라 많은 돈을 투자한 일본은 땅값 하락 때문에 크게 손해를 봤다. 또한 1990년대 접어들어 이른바 '버블 경제'의 거품이 걷히면서 일본 국내 땅값도 하락세로 돌아섰다. 땅값이 떨어진다는 것은 땅이 가지고 있는 담보로서의 가치가 떨어진다는 의미고, 따라서 예전처럼 땅을 담보로 많은 돈을 빌릴 수 없다는 의미며, 나아가 기업이 자금을 끌어들일 방법이 그만큼 줄어든다는 뜻이다.

한국에는 '자기 돈 가지고 사업하면 바보'라는 말이 있다. 이 말에는 여러 가지 의미가 함축되어 있지만, 그 바탕에는 사업을 하다가 실패해도 어차피 내 돈 아니니까 괜찮다는 뜻이 깔려 있다. 전형적인 도둑놈 심보다. 바로 그런 심리에서 '기업은 망해도 기업주는 망하지 않는다'는 또 하나의 명언이 탄생한다.

나는 이 두 가지 말 속에 한국이 겪고 있는 IMF 사태의 본질이 담겨 있다고 생각한다. 어차피 망해도 내가 손해 보는 것도 아닌데 회사를 제대로 경영하기 위해 노력하는 기업주가 어디 있으며, 기업이 망해도 기업주는 망하지 않는 풍토 속에서 회사를 위해 최선을 다할 노동자가 어디 있겠는가. 기업주는 기술 개발을 통해 부가가치 높은 상품을 만들어서 돈 벌 생각은 하지 않고 '요즈음 어떤 사업이 잘 된다더라' 하는 소문을 좇아서 이리저리 문어발

식으로 외형만 부풀리기에 급급하다.

이러한 풍토를 가능하게 한 것은 은행이다. 나는 한국의 은행 지점장을 비교적 많이 알고 지내는 편인데, 그들은 모두 골프 천재다. 대부분 싱글의 실력을 자랑한다.

어느 골프 잡지에서 전세계 골프 인구 가운데 싱글의 실력을 가진 사람은 10만 명에 1명꼴이라는 통계를 본 적이 있다. 이 통계에 비춰 보면 대한민국 은행 지점장들의 골프 실력은 확실히 비정상적인 데가 있다.

골프는 다른 스포츠와 달라서 아무리 뛰어난 소질을 타고났어도 꾸준히 연습하지 않으면 일정 수준 이상으로 실력이 향상되지 않는다. 그래서 나는 그런 친구들을 만날 때마다 싫은 소리를 한마디씩 한다.

"아니, 당신은 일 안 하고 매일 골프만 쳤소?"

그때마다 듣는 지점장 친구들의 대답도 한결같다.

"사무실보다 골프장에서 비즈니스할 때가 더 많으니 어떡하겠소?"

물론 골프는 비즈니스를 하기에 적당한 스포츠다. 비즈니스뿐만 아니라 정치인들 사이에서도 골프를 한 라운드 같이 하고 나면 좀처럼 풀릴 것 같지 않던 매듭이 씻은 듯이 풀리는 경우가 많다. 그러나 그것도 정도 문제지, 한국처럼 골프가 '귀족 스포츠'로 간주되는 나라에 싱글의 실력을 가진 수준급 골퍼가 그렇게 많은 것은 좀처럼 이해하기 힘든 일이다.

은행이 기업의 신용과 사업의 타당성을 객관적으로 분석해서 돈을 빌려 주는 본연의 임무에 충실하면 지점장들이 골프장에서 비즈니스할 시간을 내기 힘들 것이다. 그러나 대한민국 은행의 대출 판단 기준은 첫째 담보, 둘째 보증이다. 이런 업무라면 골프장에서 하는 것이 더 유리할 수도 있다.

기업으로서는 이보다 더 신나는 일이 없다. 땅장사하려고 사 둔 부동산을 담보로 돈을 빌리고, 그룹 내 계열 회사끼리 서로서로 보증을 서 주고 돈을 빌린다. 이것저것 다 여의치 않을 때에 대비해서 또 하나 비장의 카드가 있다. 정경 유착이 그것이다. 한국에서는 장사해서 번 돈으로 기술을 개발하는 것처럼 어리석은 짓이 없다. 기술 개발에 투자해 봤자 그 돈을 뽑을 때까지 시간이 얼마나 걸릴지 모르고 성공 가능성도 불투명하다. 그보다 더 확실한 투자는 정치 자금이다. 평소에 착실하게 투자해 놓으면 아쉬울 때 그 몇 배로 혜택을 입을 수 있기 때문이다.

한국의 기업들은 그 동안 이런 방법으로 외형을 늘려 왔다. 이러니 당장은 아니라 해도 언젠가는 그 결과가 나타날 수밖에 없다. 우선 기술 개발을 하지 않으니 날이 갈수록 경쟁력이 떨어지고 덩달아 수출이 점점 어려워진다.

그렇다고 그 부족분을 내수 시장에서 메울 수 있느냐 하면 그것도 아니다. 어차피 한국 국내 시장 규모는 얼마 되지 않는다. 게다가 기업이 번 돈을 어떤 형식으로든 사회에 환원하는 것이 아니라 차곡차곡 자기 뒷주머니에만 쌓아 두고 있으니 일반 국민이 풍족하게 물건을 사서 쓸 수가 없다.

수출은 불황이고 내수도 신통치 않다. 1차 고비가 찾아온 것이다. 그렇다면 어떻게든 그 시장 안에서 활로를 모색하기 위해 몸부림치는 것이 정상이다. 하지만 한국 기업은 이쯤에서 과감한 '사업 다각화' 로 작전을 바꾼다. 건설로 돈 번 회사가 하루아침에 정유 사업에 뛰어들고, 유통업으로 돈 번 기업이 하루아침에 건설회사를 차린다.

결국은 비교적 장사가 잘되던 업종도 경쟁이 치열해져 그만큼 이윤이 줄어들다가 급기야는 시장 질서고 뭐고 없이 덤핑까지 불사하며 벌거벗고 덤벼든다. 다 같이 망하는 지름길이다.

이렇게 해서 망할 기업이 일찌감치 망해 버리면 살아 남은 회사는 그나마 조금 숨통이 트일 텐데, 어떻게 된 판국인지 틀림없이 최종 부도가 났다고 대문짝만하게 보도된 회사가 오늘도 내일도 여전히 장사를 하고 있다. 도대체 망한 건지 안 망한 건지 분간이 되지 않는다.

가급적이면 구체적인 예를 들고 싶지 않지만 기아 사태 한 가지만 놓고 보자. 기아자동차가 부도를 낸 것은 장사를 제대로 못했기 때문이다. 왜 장사를 못했을까?

그건 이미 앞에서 설명했다. 자동차 역시 국내 시장만으로는 한계가 있으니까 수출을 해야 한다. 그런데 해외 시장에서 성공을 거두는 길은 두 가지밖에 없다. 품질 아니면 가격이다. 둘 다 어중간해서는 살아 남기 힘들다.

그런데 전세계적으로 자동차 경기가 하강 국면으로 접어들었다. 1998년 한 해 동안 일본만 해도 11개 자동차 회사에서 생산량을 1백만 대나 줄였다. 그렇지 않아도 장사가 신통치 않은데 경기까지 나빠지니 견딜 재간이 없었다.

아무튼 여러 요인이 겹치면서 기아자동차는 쓰러졌다. 거대한 공룡이 쓰러지면서 크고 작은 관련업체가 덩달아 비명횡사했고,

돈을 빌려 준 금융기관도 그 몇 달 전에 터져 나온 한보 사태와 맞물리면서 엄청난 손해를 입었다. 말하자면 IMF의 전주곡인 셈이다.

제아무리 기아자동차라 해도 한번 쓰러졌으면 그것으로 그만이다. 물론 국가 기간산업의 한 축이라 할 수 있는 기아자동차 같은 회사가 완전히 문을 닫아 버리면 여러 가지로 문제가 생기겠지만 어쩔 수 없다. 그것이 시장 경제 원리 아닌가.

그런데 그 기아를 현대자동차가 인수했다. 인수하는 것 자체야 나쁠 게 없다. 계산기를 두들겨 봐서 인수하는 게 낫겠다 싶으면 할 수도 있으니까. 하지만 현대는 기아의 부채를 탕감해 달라는 조건을 내세웠다. 부채를 감당할 자신도 없으면서 어떻게 인수하겠다고 마음먹었을까? 대체 누구에게 부채를 탕감해 달라는 것일까?

그 돈이 결국 국민 주머니에서 나와야 한다는 것은 삼척동자도 다 아는 일이다. 그러잖아도 먹고 살기 힘들어 죽겠는데 왜 국민이 한국에서 제일 돈 많은 재벌을 도와 주어야 하는가? 있는 사람이 없는 사람을 도와 준다 해도 시원찮을 판국에 왜 없는 사람이 있는 사람을 도와 주어야 한단 말인가?

기본적으로는 이런 비합리적이고 비정상적인 기업 운영 때문에 한국이 IMF에 구제금융을 신청하는 사태가 빚어졌다. 한국 정부도 원인 제공자니까 더 말할 필요도 없겠지만, 여기서도 이해하기 힘든 대목은 한둘이 아니다.

지금도 당시 한국 대통령이 외환 보유고가 모자란다는 사실을 사전에 보고받았느냐 안 받았느냐는 의혹이 완전히 해결되지 않은 것 같은데, 나는 왜 사람들이 그 문제로 정력을 낭비하는지 알 수가 없다. 대통령이 그 긴박한 사정을 알고도 가만히 있었다면 직무 유기임이 분명하다. 그러나 나라의 운명이 걸린 중차대한 문제를 대통령이 몰랐다고 한다면, 그 말도 되지 않는 것처럼 들리는 소리가 정녕 사실이라면 그것이 오히려 더 큰 직무 유기가 아닌가.

백 번 양보해서 대통령이 그런 사실을 몰랐다고 하자. 그러나 부총리가 대통령에게 보고했나 안 했나를 놓고 논란이 이는 것은 최소한 부총리는 그런 사실을 알고 있었다는 뜻이 아닌가. 그렇다면 부총리는 대통령에게 이 사실을 보고할 건지 말 건지 고민하느라 실질적인 대책을 세울 여유가 없었다는 말인가?

하물며 개인이 돈을 빌려도 언제 얼마를 벌어서 어떻게 갚겠다는 계산을 하게 마련이고, 그런 계산이 서지 않으면 돈을 빌릴 수가 없다. 그런데 대한민국은 기업도, 은행도, 정부까지도 아무도 그런 간단한 계산을 하지 않았다.

거기까지도 그럴 수 있다고 하자. 정작 발등에 불이 떨어지고 난 다음에도 사태를 수습하겠다고 나선 사람들이 한 언행을 보면 더 더욱 이해가 안 된다. 비교적 내막을 소상히 알고 있어서 하는 이야기인데 한국 정부가 IMF에 구제금융을 신청하기 직전 최고 위층에 속하는 한국 관료가 일본에 도움을 요청하러 왔다. 그는 일본에 도착하자마자 이렇게 말했다.

"한국이 이렇게 된 데에는 일본의 책임도 있다."

불문곡직하고 너희 때문에 우리가 이렇게 되었으니 돈을 내놓으라는 소리에 다름아니다. 일본 때문에 한국이 망하게 된 것이 사실이라 할지라도 그런 식으로 얘기하면 선뜻 돈을 빌려 줄 사람이 누가 있겠는가. 그토록 자존심이 상하면 아예 돈을 빌리러 오지 말든지.

훗날 일본 정부의 관계자들에게 비공식적으로 들은 이야기로는 당시 일본에는 한국이 구제금융을 신청해야 하는 상황까지 치닫는 것을 막아 줄 만한 여력이 있었다고 한다. 하지만 결국 일본이 내린 결론은 이러했다.

"일본이 직접 도우나 IMF를 통해 도우나 결국 한국을 돕는 것은 마찬가지인데, 기껏 도와 주고도 고맙다는 소리 한마디 못 들을 거라면 굳이 무리할 필요가 있겠느냐."

IMF 위기가 몰아 닥친 지 만으로 꼭 1년인 1998년 11월 한국 대통령은 1년 전 겨우 2억 달러에 불과하던 외환 보유고가 이제는 4백억 달러 이상까지 올라갔으니 걱정할 필요가 없다고 국민을 안심시켰다. 이 역시 납득이 가지 않기는 마찬가지다. 그것도 결국 빚이고 빚이 많을수록 갚아야 할 이자와 원금이 늘어날 것은 자명한 이치인데 어떻게 안심을 하란 말인지……. 26년 동안이나 한국에서 살았으면서도 이토록 납득이 안 되는 일이 많은 걸 보면 확실히 나는 아직 한국의 정서를 모르나 보다.

단순히 무역 수지가 흑자를 기록하고 외국 신용평가 기관이 내놓는 국가 신인도가 점차 높아지는 등 긍정적인 징후가 나타난다고 해서가 아니다. 한국 사람들에게는 이번 위기를 환골탈태의 기회로 바꿀 저력이 있다고 믿기 때문에 아무런 대안도 제시하지 못하면서 함부로 답답한 심정을 토로해 보았다.

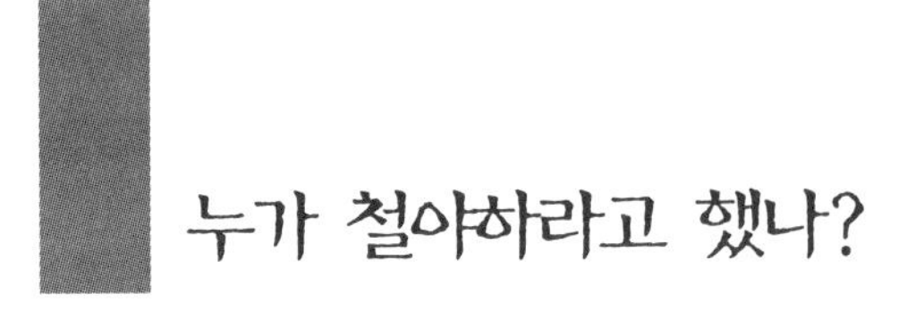

누가 철야하라고 했나?

한국 사람들끼리는 변명이 통할지 모르지만, 외국을 상대할 때에는 안 된다. 그런 일을 당한 외국 업체들은 '한국 사람들 정말 너무하다'는 불만을 저절로 품게 된다. 일부 무책임한 사람들의 변명 때문에 한국 전체의 이미지가 손상될 수도 있다는 사실을 잊어서는 안 된다.

한국의 어느 회사가 일본 회사에 물건을 납품하기로 계약이 이루어졌다. 내가 중간에서 그 계약을 성사시키는 역할을 했다. 이런 계약에서 가장 중요한 것은 납기를 맞추는 것 그리고 제품의 품질을 보장해 주는 것이다.

일본 업체에서 요구하는 제품을 생산하기 위해서는 덩치가 커다란 새 기계를 들여와야 했다. 한국 회사에는 A, B, C 세 건물로 이루어진 공장이 있었는데, C동에는 다른 기계가 설치되어 있으므로 새 기계는 A나 B동에 설치해야 했다. 이때부터 이해할 수 없는 일이 벌어지기 시작했다.

처음 계획은 A동에 기계를 설치하기로 되어 있어서 그런가 보다 했는데, 며칠 후에 가 보니 아직도 기계가 방치되어 있었다. 막상 기계를 설치하려고 했더니 길이가 너무 길어서 들어가지 않는다는 것이었다. 하다못해 가정집에서 가구를 배치해도 방과 가구의 크기를 재 보는 게 상식인데, 그 커다란 기계를 설치하면서 사이즈도 확인해 보지 않았단 말인가. 할 수 없이 B동에 기계를 넣으려니까 이번에는 높이가 맞지 않는 것이었다. 상식적으로는 도저히 이해할 수 없는 해프닝이 연이어 벌어진 끝에 결국 공장 지붕을 뜯어내고 기계를 설치하는 데 성공했다.

문제는 거기서 그치지 않았다. 기계를 가동하려고 하니까 이번에는 전기가 모자란다는 것이다. 물건을 납품하기로 한 날짜는 하루하루 다가오는데, 그 회사 직원들은 한전에서 전기 용량을 늘려 주기만을 무한정 기다리고 있었다. 보다못해 이러다가 납기를 맞출 수 있겠느냐고 물어 보았더니 전기가 모자라는데 어떻게 하겠느냐는 대답이었다.

매사가 그런 식이니 어떻게 납기를 맞출 수가 있겠는가. 조금만 미리 신경썼으면 충분히 예방할 수 있는 시행착오를 낱낱이 다 겪은 끝에 간신히 기계가 제대로 가동되기 시작했다. 그쯤 되면 공장 책임자 입에서 어김없이 이런 소리가 나온다.

"우리는 지금 며칠째 밤을 새워 가며 작업에 매달리고 있습니다. 이렇게 최선을 다하고 있으니 납품이 하루 이틀 늦어지는 것 정도는 일본 쪽에서 양해해 주어야 합니다."

아니, 누가 언제 그 사람들더러 밤새워 일하라고 요구한 적이 있는가? 밤을 새우든 말든 그쪽 사정이고, 언제까지 납품하겠다고 한 약속은 무슨 일이 있어도 지켜야 할 것 아닌가.

이것은 더없이 상식적인 이야기다. 그러나 한국 회사를 상대로 일하다 보면 이런 상식이 통하지 않을 때가 가끔 있다. 그래서 나는 한국 회사의 물건을 일본으로 수출하는 계약을 할 때에는 반드시 계약서에 명시된 납기보다 며칠 더 여유를 확보해 두는 버릇이 생겼다. 그렇게 하지 않으면 중간에 낀 내가 욕을 먹을 뿐 아니라 양쪽 회사 모두에게 피해가 돌아간다.

이제는 어지간한 일본 업체들도 한국의 이런 풍토를 잘 알고 있다. 앞서 밝힌 대로 나는 요즈음 한국의 지방자치 단체가 일본의 기술과 자본을 도입하여 쓰레기 소각장을 건설하는 일을 돕기 위해 분주한 나날을 보내고 있는데, 일본 업체들이 한국 정부나 지방자치단체의 약속은 믿을 수 없다는 인식을 밑바닥에 깔고 있기 때문에 아주 애를 먹는 경우가 많다.

그럴 때마다 나는 그런 사실을 모르다가 계획에 차질이 생기면 문제가 되지만 이미 알고 있는데 걱정할 게 뭐 있느냐는 식으로 그들의 불안을 무마한다. 그러나 이것은 어디까지나 궤변일 뿐이다. 한두 번이야 이런 식으로 넘어갈 수 있다지만 자꾸 되풀이되다 보면 결국 손해보는 것은 이쪽이다.

개인이든 기업이든 한국 사람들을 상대해 보면 그들은 세상에 못할 일이 없는 것 같다. 내가 보기에는 도저히 안 될 것 같은데도 한국 사람들은 "할 수 있습니다, 틀림없이 하겠습니다" 하고 큰소리를 탕탕 친다.

물론 자신감을 갖는 거야 얼마든지 좋은 일이지만, 어떻게 되겠지 하는 안일한 생각으로 애초부터 되지도 않을 일을 무리하게 약속해 놓으면 결과적으로 사기꾼이라는 비난을 면하기 어렵게 된다. 그러니 어쩔 수 없이 온갖 변명을 끌어대지 않을 수 없다.

한국 사람들끼리는 그런 변명이 통할지 모르지만, 외국을 상대할 때에는 안 된다. 한국과 무역 관계를 맺고 있다가 그런 일을 당한 외국 업체들은 '한국 사람들 정말 너무하다' 는 불만을 저절로 품게 된다. 일부 무책임한 사람들의 변명 때문에 한국 전체의 이미지가 손상될 수도 있다는 사실을 잊어서는 안 된다.

바가지와 '웰컴 투 코리아'

못마땅한 것은 바가지 요금뿐만이 아니다. 관광지에는 그곳 아니면 다른 곳에서 절대 볼 수 없는 특산품이 너무 없다. 제주도에서 경포대에 이르기까지 기념품 가게를 가 보면 그게 그거다. 그러나 그런 상품보다 더욱 중요한 것은 모든 국민이 지금보다 좀더 친절해야 한다는 점이다.

나는 일본에서 온 손님들을 데리고 가끔 제주도 관광 안내에 나서는 일이 있다. 그런데 한때 일본 사람이라면 서로 자기 업소로 데려가려고 안달하던 제주도 상인들이 요즈음에는 일본인을 별로 달가워하지 않는 눈치다. 심지어 노골적으로 이렇게 말하는 사람도 있다.

"제주도 상인들은 일본 사람보다 한국 신혼 부부들을 더 선호합니다. 그 사람들이 일본 관광객보다 돈을 더 잘 쓰거든요."

일본 사람들도 자주 다녀서 그런지 한국 사정을 대충 알고 있다. 그래도 일본 국내를 여행하는 것보다 한국에 오는 비용이 더 싸니까 찾아오는 것이지, 한국에서 흡족한 서비스를 받을 수 있으리라고는 기대하지 않는다. 일본인들은 자기가 바가지를 쓰고 있다는 것을 아니까 한푼이라도 더 깎으려 든다.

하지만 한국 신혼 부부들은 다르다. 그들은 일생에 한 번뿐인 추억을 망치지 않으려고 요모조모 따지지 않고 달라는 대로 값을 치른다. 그렇기 때문에 제주도 상인들 입에서 일본 관광객보다 낫다는 소리가 나오는 것이다. 이것 역시 진정한 서비스 정신과 거리가 먼 사고 방식이다.

평생 한 번 오는 신혼 부부인데 최선을 다해서 서비스하자는 마음보다 돈 잘 쓰니까 좋다는 마음가짐으로 대해서는 절대 좋은 인상을 줄 수 없다. 그렇게 하다가는 얼마 안 가서 제주도를 찾는 사람이 급속도로 줄어들 것이다. 신혼 여행 때 좋은 인상을 받은 부부들이 해마다 결혼기념일이 되면 다시 그곳에 가고 싶어할 거라는 생각을 제주도 상인들은 하지 않는 것 같다.

한번은 일본에서 사업을 하는 친구와 함께 제주도로 관광을 갔는데, 그 친구는 제주도의 빼어난 자연 경관에 감탄을 연발하면서도 교통편이 너무 불편하다고 지적했다. 그러면서 서귀포에서 제주시까지 모노레일을 깔면 어떻겠느냐고 물어 왔다. 중간에 지선을 뽑아 한라산 중턱까지 연결시키면 더 좋겠다고 덧붙이기도 했다. 거기에 필요한 자금은 자기가 책임지고 조달할 수 있다고 큰소리까지 치면서. 가만히 들어 보니 일리 있는 것 같아서 제주시 고위 공무원에게 그 이야기를 전해 보았다. 그랬더니 그는 일언지하에 거절했다. 취지는 좋지만 환경이 파괴되기 때문에 허락할 수 없다는 이야기였다.

그렇게까지 환경을 생각한다니 가상한 일이지만, 그 공무원은 무언가 크게 착각하고 있다. 자연을 있는 그대로 방치하는 것만이 환경을 보존하는 것은 아니다. 그러면 사람이 살 집도 짓지 말고 도로도 만들지 말아야 한다.

알프스를 보라. 관광객들은 산 중턱까지 연결된 궤도열차를 타고 그 눈부신 경관을 구경하면서 알프스에 매료된다. 그 궤도열차 때문에 환경이 파괴된다고 생각하는 사람이 몇이나 있겠는가.

한국 사람들은 정작 환경을 지키고 보호해야 할 곳은 마구잡이로 파헤쳐 버리면서 아무것도 아닌 사소한 부분에서는 지나치게 엄격한 원칙주의자로 돌변해 버린다.

서울의 대표적인 관광 명소 중에 비원이 있다. 한국을 처음 찾는 외국 사람들은 거의 무조건 이 비원을 둘러보게 된다. 그런데 비만 오면 바닥이 진흙탕으로 변해서 도무지 걸어다닐 수가 없다. 보존도 좋지만 관광객을 위한 최소한의 편의는 봐 주어야 한다.

게다가 한국의 관광지에는 아직도 외국인에게 바가지를 씌우는 고약한 상혼이 남아 있다. 가게에 가서 물건을 사면 틀림없이 100원이라고 적혀 있는데 주인은 200원을 달라고 한다. 처음부터 한국 말을 하면 그 정도까지는 아닌데, 내가 일본 사람들과 일본 말을 주고받으면 가게 주인은 대부분 100원짜리를 200원 달라고 한다.

"아주머니, 100원짜린데 200원 달라고 하면 어떡해요?"

이렇게 항의하면 내가 한국 말을 할 줄 안다는 사실에 당혹스러워하는 것도 잠시뿐, 가게 주인은 금방 이렇게 맞받아 친다.

"아저씨, 일본 사람이잖아요."

도대체 무슨 소리인가? 일본 사람은 물건 값을 두 배로 내야 한다는 법이라도 있단 말인가.

그런데 한국에서는 외국 사람에게만 바가지를 씌우는 것도 아닌 모양이다. 외국인이든 내국인이든 상대가 조금이라도 허점을 보이면 그 틈새로 어김없이 바가지 상혼이 파고든다.

못마땅한 것은 바가지 요금뿐만이 아니다. 관광지에는 그곳 아니면 다른 곳에서 절대 볼 수 없는 특산품이 너무 없다. 제주도에서 경포대에 이르기까지 기념품 가게를 가 보면 그게 그거다. 외국 관광객들이 한국 아니면 못 사는 물건, 강원도 아니면 구경도 못할 특산품을 개발할 필요가 있다.

한국 정부는 1994년에 이어 2001년을 두 번째 한국 방문의 해로 정하고 외국 관광객 유치에 적극 나서고 있다. 그 계획이 성공을 거두고 앞으로도 계속 외국 관광객들의 발길이 끊이지 않는 나라가 되기 위해서는 뛰어난 관광 상품을 개발하기 위한 노력이 필요하다.

그러나 그런 상품보다 더욱 중요한 것은 모든 국민이 지금보다 좀더 친절해야 한다는 점이다. 외국 관광객을 끌어들이기 위해 구태여 마음에도 없는 미소를 지을 필요는 없다. 남을 친절하게 대하면 나부터 먼저 기분이 좋아진다는 간단한 진리만 잊지 않으면 된다.

다이옥신 소동

다이옥신 문제가 불거져 나오면서 언론에서는 "청산가리보다 1만 배나 독성이 세다"느니 "인류가 만들어 낸 가장 위험한 화학 물질"이라느니 거침없이 표현하고 있다. 물론 해로운 것은 틀림없는 사실이지만, 문제를 이런 식으로 몰아붙이는 것은 '보도'라기보다 '선동'에 가깝다.

'환경'이라는 두 글자를 종이에 써 놓으면 참 간단해 보인다. 그런데 이 간단한 두 글자가 지금 인류의 생존을 위협하고 있다. 지금까지 너무나 당연히 우리 곁에 존재하는 것으로 생각해 온 물이나 공기 같은 것을 이제는 엄청난 돈과 노력을 들여서 아등바등 지키지 않으면 살 수 없는 세상이 되었다.

요즈음에는 하도 많은 사람이 이야기하니까 듣는 사람 입장에서는 "에이, 또 그 소리" 할 수도 있지만, 적어도 이 환경 문제만큼은 그 누구도 간단히 넘겨 버릴 일이 아니다.

우리 하루 일과를 생각해 보자. 아침에 일어나면 세수를 한다. 내 얼굴에 묻어 있던 때, 내 몸 속에서 나온 배설물이 물에 씻겨서 하수도로 흘러 내려간다. 밥을 먹으면 식탁에 올라오는 채소나 생선 따위도 그 자체가 환경의 일부다. 먹고 남은 음식 쓰레기는 환경 문제의 가장 큰 골칫거리다. 출근 길에 타고 가는 자동차는 대기를 오염시킨다. 지금 여러분이 들고 있는 이 책도 지구 어딘가에서 벤 나무로 만든 종이에 다름아니다.

우리는 아침에 눈을 떠서 잠자리에 들 때까지 이렇게 쉬지 않고 환경과 영향을 주고 받으며 살아간다. 아니다. 잠을 잘 때에도 숨을 쉬어야 하니까 쉴 새 없이 산소를 들이마시고 이산화탄소를 내뿜으며 환경과의 관계를 이어 간다.

이렇게 환경과 인간을 떼어놓고 생각할 수 없다. 어떤 면에서는 인간 자신 또한 환경의 일부라고 할 수 있다. 그러므로 환경을 지키는 것은 자기 자신을 지키는 것이다. 머리로는 누구나 그런 생각을 하는지 모르지만, 생활 속에서 우리는 그런 사실을 너무 쉽게 잊어버린다.

서울에 사는 사람들은 가끔 자동차를 타고 난지도 앞에 시원스레 뚫린 강북 강변도로를 달리며 이런 생각을 할 것이다.

"야, 참 세상 좋아졌구나! 얼마 전까지만 해도 이 앞을 지나가려면 쓰레기 냄새 때문에 코를 막아야 했는데, 이제 냄새가 하나도 안 나네."

냄새가 안 나는 것만이 아니다. 여름철에는 제법 풀까지 자라고 있으니 조금만 더 세월이 지나면 아예 녹지로 탈바꿈하지 않을까 하는 생각마저 든다.

하지만 유감스럽게도 난지도는 겉으로 보이는 것만큼 낙관적인 상황이 아니다. 말 그대로 '산더미' 처럼 쌓아 놓은 쓰레기는 여전히 거기에 있다. 냄새가 나지 않고 풀이 자라는 것은 마치 쓰디쓴 약에 설탕을 발라 놓은 당의정처럼 쓰레기 더미 위에 흙을 덮어 놓았기 때문이다.

눈에 보이지 않는 것을 무시하는 한국 사람들의 습성은 여기에서도 고스란히 드러난다. 한동안 환경 문제의 상징처럼 떠들썩하던 난지도 이야기는 이제 흙을 한꺼풀 덮어 당장 눈에 보이지 않는다는 이유로 아무도 거론하는 사람이 없다. 오히려 그 코앞에 2002년 월드컵 주경기장을 건설하기로 결정되어 머지않아 난지도 일대는 전세계인이 벌이는 축제의 앞마당이 되게 생겼다.

그러나 난지도 쓰레기 매립장에는 어떠한 오염 방지 시설도, 종말 처리장도 설치되어 있지 않다. 그저 아무런 대책 없이 쓰레기를 쌓아 놓은 것이다. 지금 이 순간에도 난지도의 쓰레기는 썩어가고 그 썩은 물은 지표수, 지층수와 섞여 고스란히 한강으로 흘러들고 있다. 한강물이 어디로 흘러가는지는 삼척동자도 안다. 다시 말해서 여러분이 오늘 아침에 먹은 생선 속에는 여러분이 10년 전에 버린 건전지에서 흘러 나온 중금속이 쌓여 있었을지도 모른다는 이야기다.

일본 속담에 '노도모토 스기레바 아츠사오 와스레루(のどもと過ぎれば 熱さを 忘れる)'라는 게 있다. 뜨거운 물을 삼키면 목구멍에 내려갈 때 고통스럽지만 그 다음에는 금방 잊어버린다는 뜻이다. 한국에도 이와 비슷한 속담이 있는지 모르겠지만, 한국 사람들한테 딱 들어맞는 말이다.

지금 쓰레기 소각장에서 배출되는 다이옥신이 전국적으로 문제가 되고 있지만, 내가 보기에 한국 사람들은 얼마 지나지 않아 이 문제를 까맣게 잊어버릴 것이 분명하다. 신속하게 잊어버리는 것, 한국 사람들의 대표적인 장점이기도 하지만 동시에 치명적인 단점이기도 하다.

또 한 가지 짚고 넘어갈 것은 한국 사람들의 행동이나 사고 방식에 앞뒤가 잘 맞지 않는 부분이 많다는 점이다. 한국의 중년 남성들은 건강을 지키기 위해 눈물겨운 노력을 기울인다. 몸에 좋다고만 하면 외국까지 나가 뱀에서 곰에 이르기까지 온갖 짐승을 잡아먹는다. 이른바 '보신 관광'이다. 하지만 그들이 자동차를 운전하는 모습을 보면 당장 죽지 못해 안달이 난 사람들 같다. 이렇게 불합리하고 앞뒤가 맞지 않는 한국인의 속성은 환경 문제에서도 그대로 드러난다.

1998년 말 현재 환경 문제와 관련해 한국에서 가장 뜨거운 현안은 바로 다이옥신 문제다. 다이옥신은 어감만으로도 왠지 해로울 것 같은 느낌을 주는데 얼마나 사람 몸에 해로운지는 누구도 단정하지 못한다.

다이옥신 문제가 불거져 나오면서 언론에서는 "청산가리보다 1만 배나 독성이 세다"느니 "인류가 만들어 낸 가장 위험한 화학물질"이라느니 거침없이 표현하고 있다. 물론 해로운 것은 틀림없는 사실이지만, 문제를 이런 식으로 몰아붙이는 것은 '보도'라기보다 '선동'에 가깝다.

지금까지 알려진 다이옥신의 종류만 해도 200가지가 넘는다. 그 외에 얼마나 더 많은 종류가 있는지는 아무도 모른다. 다이옥신이 특정한 물질을 지칭하는 것이 아니라 벤젠 고리 두 개가 산소 분자 두 개와 결합한 화학 물질 전체를 일컫는 용어기 때문이다.

다이옥신은 원래 자연 상태에서는 존재하지 않는다. 그렇다고 인간이 일부러 만들어 낸 것도 아니다. 어떻게 하다 보니 저절로 생겨나는데, 언제 어디서 어느 정도 생성되는지에 대해서조차 학자들 사이에 일치된 견해가 없다. 일부에서는 다이옥신의 종류만도 1만 가지가 넘는데 그 가운데 사람에게 해를 미치는 것은 33가지 정도라고 주장한다.

쓰레기를 태울 때, 특히 PVC나 플라스틱을 태울 때 다이옥신이 발생하는 것은 사실이다. 그 중에는 정말로 '청산가리보다 1만 배나 독성이 강한' 다이옥신이 있을지도 모른다. 어느 신문에서는 "다이옥신 1그램으로 2만 명이 죽을 수도 있다"는 표현을 썼다.

환경부가 1997년 5월에 발표한 조사 결과를 보면 한국에서 다이옥신 배출량이 가장 많은 부천 쓰레기 소각장에서 검출된 다이옥신 양은 '23.12ng/㎥' 였다. 이 '나노그램(ng)' 이라는 단위는 '1억분의 1그램' 이라는 뜻이다. 따라서 부천 소각장에서 나오는 다이옥신으로 2만 명이 죽으려면 어느 정도 시간이 걸릴지 계산조차 되지 않는다.

내가 그런 유의 신문 기사를 '선동' 이라고 표현한 것은 불가능한 일은 아니지만 현실적으로는 거의 있을 수 없는 일을 지나치게 확대 해석함으로써 쓰레기 소각장 주변에 사는 주민, 나아가 온 국민에게 불필요한 공포심을 불러일으키기 때문이다.

혹시 오해가 있을까봐 덧붙이자면 나는 다이옥신이 전혀 위험하지 않으므로 쓰레기 소각장을 둘러싸고 벌어지는 모든 논란이 불필요하다는 이야기를 하는 것이 아니다. 그러나 모든 일에는 선후경중(先後輕重)이라는 것이 있는 법이다. 당장 눈앞에 훨씬 더 위험하고 심각한 문제점이 많은데도 모두 제쳐놓고 다이옥신에만 매달려 있는 한국 사람들의 태도가 좀처럼 이해되지 않아서 하는 말이다.

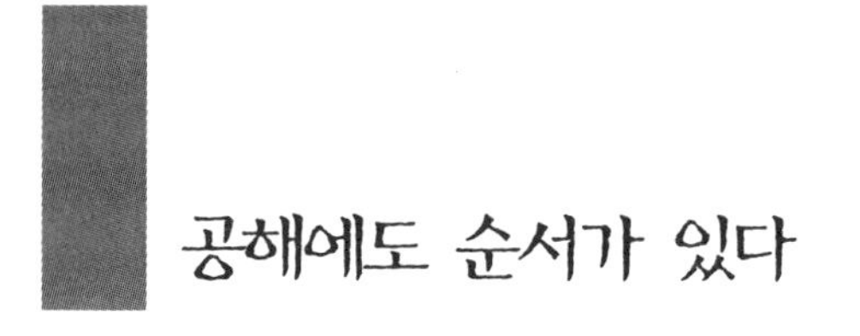

공해에도 순서가 있다

공해라고 생겨먹은 놈을 가지고 조금 더 해로운 공해, 조금 덜 해로운 공해를 가린다는 것이 난센스기는 하지만, 한국에서 다이옥신보다 훨씬 더 심각하고 위험한 것은 자동차 배기 가스다.

이렇게 말하면 웃겠지만 공해에도 순서가 있다. 공해라고 생겨먹은 놈을 가지고 조금 더 해로운 공해, 조금 덜 해로운 공해를 가린다는 것이 난센스기는 하지만, 한국에서 다이옥신보다 훨씬 더 심각하고 위험한 것은 자동차 배기 가스다.

얼마 전 세계적으로 자동차 배기 가스로 인한 대기오염을 조금이라도 줄이기 위해 승용차에 디젤 엔진을 사용하지 말자는 결의가 채택되었다. 물론 가솔린 엔진이라고 해서 배기 가스 문제가 없는 것은 아니지만 디젤 엔진 쪽이 훨씬 더 심각하기 때문에 내린 결정이다.

그런데 한국에서 지프를 생산하는 어느 자동차 회사는 지금까지 가솔린과 디젤 엔진을 함께 만들던 것을 오히려 가솔린을 없애는 대신 디젤 엔진을 채택한 차만 만들고 있다. 세계적인 추세

와는 거꾸로 가고 있는 셈이다. 그런데도 누구 하나 여기에 이의를 제기하는 사람이 없다.

다이옥신만 해도 그렇다. 일본 전역에는 다이옥신이 배출되는 대형 쓰레기 소각장이 무려 3천 곳이 있다. 전세계 대형 쓰레기 소각장 가운데 70퍼센트가 그 조그만 섬나라에 밀집해 있는 셈이다. 일본에서는 전체 쓰레기 가운데 70퍼센트 이상을 소각장에서 태운다.

문제는 소각장 대부분이 1960년대와 1970년대, 늦어도 1980년대 초반에 건설되었다는 점이다. 그런데 다이옥신이라는 화학물질이 처음 알려진 것이 1970년대 후반이다. 그 유해성 여부가 세계적인 논란이 되기 시작한 것은 1980년대 들어서다. 다시 말하면 일본의 쓰레기 소각장은 아예 다이옥신이라는 개념을 전혀 생각하지 않고 지어졌다는 뜻이다.

그렇다고 이미 다 지어 놓은 소각장 수천 곳을 하루아침에 폐쇄해 버릴 수도 없는 노릇이다. 그랬다가는 정말로 며칠 못 가 온 일본 열도가 쓰레기 더미에 파묻힐 것이다. 그래서 일본 사람들은 다이옥신 문제에 관한 한 할 이야기가 없다. 누군가 표현한 대로 이미 '넘어올 수 없는 다리'를 건너 버린 것이다.

미국에서는 사람이 섭취해도 괜찮은 다이옥신 허용치를 몸무게 1킬로그램에 0.01피코그램(1피코그램은 1조분의 1그램)으로 정해 놓았다. 반면 일본의 허용치는 무려 100피코그램이다. 계산대로라면 일본 사람이 미국 사람보다 1만 배 이상 다이옥신을 견딜 수 있어야 한다. 상식적으로 생각해도 말이 안 되는 소리다. 그러나 또 한 가지 분명한 것은 다이옥신의 지옥인 일본에서조차 아직 다이옥신 때문에 죽은 사람이 한 명도 없다는 사실이다.

일본은 그런 상황에 처해 있으니 한국 사람도 아무 소리 하지 말고 가만히 있으라는 뜻은 절대 아니다. 오히려 다이옥신에 관한 한 한국 사람들은 복을 받은 셈이다. 한국은 아직 전체 쓰레기 가운데 소각장에서 처리하는 비중이 고작 4퍼센트에 지나지 않으니, 앞으로 그 비율을 늘려 간다 하더라도 다이옥신 문제에 철저하게 대처할 시간적 여유가 있는 셈이다. 또한 쓰레기 소각장에서 발생하는 다이옥신 양을 거의 제로에 가깝게 줄이는 기술이 속속 개발되고 있으니 얼마나 큰 축복인가?

한마디로 다이옥신에 대해서는 일본을 비교 대상으로 삼을 필요가 전혀 없다. 그런데 요즈음 한국에서 벌어지는 다이옥신에 대한 논란에도 문제점은 있다.

먼저 한국 사람들은 쓰레기 소각장 굴뚝을 통해 대기중으로 퍼져 나가는 다이옥신 양이 쓰레기를 태우고 남은 재 속에 결합된 다이옥신과 비교하면 그야말로 '새발의 피' 라는 사실을 간과하고 있다.

현재 한국에서 가동되는 대형 쓰레기 소각장 11곳 가운데 10곳은 '스토커' 라는 방식을 채택한 소각로(흔히 '기계로' 라고도 한다)다. 이 소각로에 쓰레기를 집어넣고 태우면 재가 30퍼센트 나온다. 다시 말해서 쓰레기 100톤을 태우면 재로 30톤이 남는 것이다. 한국에서는 이 재를 다른 일반 쓰레기와 함께 그대로 매립지에 묻어 버린다.

소각장의 굴뚝을 통해 배출되는 다이옥신은 그나마 대기중에서 확산된다. 그러나 땅 속에 묻힌 다이옥신은 마땅히 갈 데가 없다.

결국 토양을 오염시키고 지하수에 스며들어 인간에게 되돌아올 것이다. 그런데도 한국 사람들은 굴뚝을 통해 대기중으로 퍼져 나가는 다이옥신에만 죽어라고 매달릴 뿐 땅 속에 묻히는 다이옥신에 대해서는 아무도 신경쓰지 않는다.

또한 쓰레기 소각로 기종 선정 문제도 납득이 가지 않기는 마찬가지다. 스토커라는 소각로는 이미 많은 문제점이 노출되어 지금 이 방식으로 소각로를 만드는 나라는 하나도 없다. 일본 역시 현재 가동중인 소각로가 대부분 스토커 방식이지만 앞에서 말한 대로 다이옥신이라는 게 뭔지도 모르던 시절에 지은 것이라 할 수 없이 가동시키고 있을 뿐 새로 짓는 것을 중단한 지는 이미 오래다.

이 스토커 로(爐)는 쓰레기에 물기가 별로 없는 서구에서 개발한 기술이다. 일본 역시 서구보다 젖은 쓰레기 비중이 높지만, 쓰레기의 수분 함유량은 한국이 일본보다 많으면 많았지 결코 적지 않다. 한국에서는 소각로에 집어넣기 위해 크레인이 한 무더기 쓰레기를 퍼 올리면 물기가 소나기처럼 좌르르 쏟아진다.

그런데도 어찌 된 셈인지 한국은 스토커 로만 짓겠다고 고집한다. 심지어 정부에서 각 지방자치단체에 스토커 로가 아니면 쓰레기 소각장 건설 보조금을 주지 않겠다는 공문까지 보내는 실정이다. 다른 방법이 없다면 또 모르지만, 그렇지도 않은데 굳이 그 낡은 기술에 매달리는지 도대체 알 수가 없다.

스토커 로말고 유동상 방식 쓰레기 소각로도 있다. 스토커 로에서는 재가 30퍼센트 나오지만 유동상 방식을 채택하면 13퍼센트 정도밖에 나오지 않는다. 가격도 스토커 로에 비해 크게 비싸지 않다. 그런데도 한국에서 유동상 방식을 채택한 곳은 성남 소각장 단 한 군데뿐이다.

최신 기술로는 '용융로' 라는 것도 있다. 원래 독일에서 개발한 기술인데, 일본이 이 기술을 도입하여 성능을 크게 개선시킨 결과 지금은 서구 지역에 역수출을 하고 있다. 간단히 말하자면 초고온 열을 가해 말 그대로 쓰레기를 '용융(熔融)' 시켜 버리는 방법인데, 이렇게 하면 재가 거의 남지 않아서 이중으로 매립할 필요가 없다. 다이옥신 배출량도 크게 줄일 수 있음은 물론이다.

한국에서는 이 기술이 독일에서 실패했을 뿐만 아니라 전세계적으로 실적이 없다는 이유로 도입할 생각이 없다고 한다. 그러나 일본에 건설된 20톤짜리 데모 플랜트가 그 성능을 입증해 주고 있고, 일본 후생성의 허가 아래 220톤짜리와 400톤짜리가 각각 수출되어 완공을 앞두고 있다. 얼마 전 이 용융로의 권위자인 일본 학자들이 서울에 와서 세미나를 개최하기도 했고, 최근 들어서는 일부 국회의원과 시민 단체가 더 이상 스토커 방식 소각로를 건설하지 말 것을 요청하고 있어 앞으로 귀추가 주목된다.

앞에서 말했듯이 1998년 현재 한국에서 나오는 쓰레기 가운데 소각 처리되는 비중은 4퍼센트밖에 되지 않는다. 그래서 한국 정부에서도 2001년까지 소각률을 20퍼센트 수준으로 끌어올리겠다는 정책을 세워 두고 있다. 그럼에도 불구하고 난데없는 '다이옥신 공포' 가 확산되는 통에 계획 자체를 전면적으로 재검토해야 한다는 소리가 나오고 있는 실정이다.

한국은 일본과 마찬가지로 국토가 좁고 인구가 많아서 쓰레기 문제는 매립보다 소각 쪽으로 갈 수밖에 없다. 다이옥신이 무서워 지금처럼 쓰레기를 계속 매립하는 방법을 고수한다면 머지않아 대한민국의 국토는 쓰레기더미로 뒤덮이고 말 것이다.

님비와 남비

이론적이고 학문적인 연구는 학자들의 몫이라고 한다면, 기자들은 최소한 사실 확인만이라도 철저하게 해야 한다. 내가 알기로 분명히 7년 전에 가동이 중단된 소각장이 2년 전까지 가동되었다는 기사가 국내 유수의 신문에 게재될 정도라면 할 말이 없어진다.

쓰레기 문제와 관련해서 다이옥신보다 더 걱정스러운 것은 흔히 '님비(Not In My Back Yard)'라고 표현하는 지역 이기주의다. 세계 어디서나 나타나는 현상이긴 하지만, 한국에서는 정도가 심하다고밖에 표현할 길이 없다.

내가 사는 아파트 바로 옆에 쓰레기 소각장이 들어선다고 하면 환영할 사람은 별로 없을 것이다. 매일같이 청소차가 집 앞에 들락거리면 지저분하기도 하고 냄새도 날 것이다. 그런 판국에 소각장 굴뚝에서 '무시무시한' 다이옥신이 뭉글뭉글 쏟아져 나온다고 하니 소각장 반대 운동이 벌어지는 것도 무리는 아니다.

소각장을 건설하지 않고 쓰레기 문제를 해결하는 방법이 전혀 없는 것은 아니다. 쓰레기를 버리지 않으면 된다. 농담이 아니라 전체 생활 쓰레기의 60퍼센트를 차지하는 음식 쓰레기를 모두

'먹어 치워' 버리면 한국의 쓰레기 문제는 간단하게 해결된다.

쓰레기를 먹으라는 것이 아니다. 음식 쓰레기는 버리고 나서나 쓰레기지 그 전까지는 엄연한 '음식'이니까 말이다. 굳이 아프리카 난민까지 들먹일 것도 없이 한국 사람들에게는 코앞에서 굶주림으로 쓰러져 가는 북녘 동포가 있지 않은가. 그들을 생각해서라도 지금보다 절반만 음식물 쓰레기를 줄이면 서둘러 쓰레기 소각장을 짓지 않아도 되고 다이옥신 공포에서 어느 정도 벗어날 수 있다.

말이 나와서 하는 말이지만 한국 사람들은 손이 너무 크다. 주부들이 음식을 너무 많이 만들고 반찬도 가짓수가 너무 많다. 이러니 음식 쓰레기가 많이 나올 수밖에 없다. 음식 문화의 특성이 이러하면 음식 쓰레기를 처리하고 활용하는 방법을 연구해야 옳다. 진작부터 머리 좋은 사람들이 그 방법을 연구하여 국가에서 실행했다면 오늘날 쓰레기 문제가 이렇게까지 심각하게 발전하지는 않았을 것이다.

엄밀히 말하면 음식 쓰레기를 먹어 치우겠다는 각오가 없는 사람들에게는 쓰레기 소각장 건설을 반대할 자격이 없다. 그런데도 "왜 하필이면 우리 동네에 그런 혐오 시설을 짓느냐"며 핏대를 올리는 사람들, 그들이 정말로 두려워하는 것은 다이옥신이 아니라 '땅값(혹은 집값) 하락'이 아닐까 하는 생각이 드는 게 사실이다.

땅값이 떨어질 것을 우려해서 쓰레기 소각장 건설을 반대하는 사람이라면 성숙한 시민으로서 자격이 없다. 그들이 그토록 과감하게 소각장 건설을 반대하는 것은 다 믿는 구석이 있기 때문이다. 출근길에 차에다 쓰레기를 싣고 나와 다른 동네에 버리거나 전철역 쓰레기통에 가져다 놓으면 된다. 이런 사고 방식을 근본적으로 바꾸지 않는 한 쓰레기 문제뿐만 아니라 모든 분야에서 한국은 내일이 없다.

또 한 가지 이해할 수 없는 일이 있다. 서울시 노원구에는 쓰레기 400톤을 처리하는 소각로 두 기가 설치되어 있는데, 그 가운데 하나는 가동되지 않는다. 수백억 원이라는 돈을 들여서, 그것도 주민의 반대를 무릅쓰고 간신히 지어 놓은 소각로의 가동률이 왜 이처럼 떨어지는 것일까.

한국의 음식물 쓰레기는 80퍼센트가 수분이어서 아무리 발달된 소각 기술을 동원해도 완벽하게 태우기가 힘들다. 물을 태운다고 생각해 보면 쉽게 이해될 것이다. 그래서 신문지나 목재처럼 불에 잘 타는 쓰레기를 같이 태워야 효율이 높아진다.

그런데 재활용이 가능한 쓰레기를 따로 모으는 분리 수거가 정착되면서 폐지가 소각장으로 실려 오지 않아 젖은 쓰레기를 태우려면 기름을 사다 부어야 한다. 그만큼 비용이 높아지는 것은 말할 필요도 없다. 폐지를 소각 연료로 활용하면 연료비 200원을 절약할 수 있는데 100원에 팔아 넘기고 대신 기름을 사서 태우는 식이다. 그런데 폐지를 가져간 쪽에서는 재활용이 쉽지 않으니까 다른 쓰레기와 함께 그냥 땅에다 묻어 버린다.

하도 어이가 없어서 왜 그렇게 비효율적으로 일을 하느냐고 물어 보면 이유야 어찌 되었건 '위에서' 정해 놓은 분리 수거 비율은 지켜야 한다는 대답이 돌아온다. 그렇다면 다른 지역에서 나오는 목재나 폐지처럼 잘 타는 쓰레기를 가져와서 함께 태우는 것이 어떠냐고 하면 주민이 왜 남의 동네 쓰레기를 우리 동네에서 태우느냐고 반대해서 안 된다는 것이다.

그렇지만 한국에서 쓰레기 분리 수거가 정착한 것은 높게 평가하지 않을 수 없다. 일본은 한국보다 훨씬 먼저 이 제도를 시행하고 있지만, 적어도 분리 수거만큼은 한국을 따라갈 수 없다. 물론 한국에서는 재활용이 안 되는 쓰레기를 버리려면 봉투를 따로 사야 하지만 일본에서는 돈을 더 내지 않아도 된다는 차이가 있기는 하다.

어찌 되었건 분리 수거가 완전히 정착한 것을 보면 영 희망이 없는 것은 아니다. 일단 시동을 걸기가 힘들어서 그렇지, 한번 '하자!' 고 의기가 투합되면 물불 안 가리고 매진하는 것이 한국 사람들의 특징이기도 하니까.

앞에서 지적한 지역 이기주의는 시민 의식이 성숙됨에 따라 점점 해결될 것이라고 본다면, 이제는 정부 당국도 쓰레기 문제의 본질을 제대로 파악하여 강력한 행정력으로 뒷받침해 주어야 한다. 그러기 위해서는 언론계와 학계가 정확한 지식과 정보로 방향을 제시해야 하는데, 이 대목을 생각하면 또 한숨이 나온다.

앞에서도 '보도' 라기보다는 '선동' 에 가까운 한국 언론의 태도를 지적했지만, 언론이 이런 태도를 보이는 것은 공부를 하지 않기 때문이다. 어차피 이론적이고 학문적인 연구는 학자들의 몫이라고 한다면, 기자들은 최소한 사실 확인만이라도 철저하게 해야 한다. 내가 알기로 분명히 7년 전에 가동이 중단된 소각장이 2년 전까지 가동되었다는 기사가 국내 유수의 일간 신문에 게재될 정도라면 할 말이 없어진다.

하루는 텔레비전 뉴스에서 어느 쓰레기 소각장이 일본에서 절

름발이 기술을 도입하는 바람에 가동을 못하고 있다는 보도가 나왔다. 그런데 그 소각장은 분명히 내가 직접 개입해서 건설되었고, 제대로 가동이 되고 있었다. 더 기가 막히는 것은 그 보도 기자가 방금 자기 입으로 가동이 중단되었다고 말한 바로 그 소각장에서 다이옥신이 배출되고 있다고 덧붙이는 것이었다. 가동도 되지 않는 소각장에서 어떻게 다이옥신이 나온단 말인가?

그런 어처구니없는 이유 때문에라도 대한민국 학자들이 좀더 적극적으로 나설 필요가 있다. 언론이 잘못된 보도를 하거나 정부가 엉뚱한 정책을 펼치려 하면 과감하게 아니라고 지적할 수 있어야 한다.

적어도 쓰레기 문제에 관한 한 그만한 학식과 권위를 갖춘 사람이 한국에 틀림없이 있는데, 실제로 그에 걸맞은 영향력을 행사하는 모습은 좀처럼 찾아볼 수 없다. 원래 학자는 세상사에 초탈한 채 연구에만 몰두해야 한다는 입장이어서 그런지 모르겠지만, 한국에서는 어제까지 대학 교수로 있던 양반이 오늘 장관으로 입각하는 경우가 있는 걸 보면 반드시 그런 것만도 아닌데 말이다.

다이옥신 문제만 해도 아직 학문적으로 완전히 검증되지 않은 부분이 많다. 단적인 예로 환경부에서 발표한 각 소각장의 다이옥신 배출량도 100퍼센트 신뢰할 수 있다고 할 수 없다. 다이옥신을 검출하기 위해서는 고가 장비와 첨단 기술이 필요하기 때문에 배출량 측정 작업은 결코 만만한 작업이 아니다.

또한 똑같은 소각로라 할지라도 배출되는 다이옥신 양에 영향을 미치는 변수가 굉장히 많다. 계절에 따라서, 태우는 쓰레기 성분에 따라서 다이옥신 배출량에는 큰 차이가 난다. 소각로가 일정한 시간 이상 꾸준히 가동되었는가 아니면 중단되었다가 가동된 지 얼마나 되었는가에 따라서도 차이가 날 수밖에 없다. 심지어 검사 직전에 쓰레기에다 소석회를 뿌려서 함께 태우면 다이옥신 양이 현격하게 줄어든다. 물론 그 비용이 만만치 않기 때문에 계속 소석회를 태울 수는 없지만.

한국 정부의 다이옥신 관련 발표를 믿을 수 없다는 말을 하기 위해 이 이야기를 꺼낸 것은 아니다. 마치 체온이 40도를 넘으면 위험하다는 식으로 신문에 발표되는 다이옥신 양에 따라서 일희일비할 필요가 없다는 뜻이다.

그런데 일반 국민은 그런 사실을 모른다. 모르니까 신문에 우리 동네 소각장에서 다이옥신이 규정치보다 몇 배 이상 검출되었다고 나오면 당장 방독면이라도 써야 하는 것 아닌가 해서 불안해하는 것이 당연하다.

국민의 불안감을 해소하고 정확한 정보를 제시하는 것은 학자들이 감당해야 할 몫이다. 상아탑 속에 갇혀서 사회 현안을 외면하거나 반대로 학자로서 본분을 망각하고 권력이나 부의 언저리를 기웃거리는 것 모두 진정한 학자의 모습과는 거리가 멀다.

내가 이렇게 한국의 쓰레기 문제, 특히 다이옥신에 대해 열변을 토하는 이유가 무엇일까 하고 의아하게 생각하는 사람이 있을지 모르겠다. 솔직히 말해서 나는 대한민국이 쓰레기 더미로 뒤덮이든 다이옥신으로 뒤덮이든 크게 상관할 바 없는 입장이다. 정말 심각한 사태가 벌어져서 숨쉬기조차 힘들어지면 이 땅을 떠나 버리면 그만이다. 내 아들이나 손자가 쓰레기 지옥 속에서 고생할 것을 걱정할 필요도 없다.

그러나 나는 처음 한국으로 건너온 20여 년 전부터 머지않아 한국은 쓰레기 문제로 큰 홍역을 겪을 것이라고 생각해 왔다. 내가 무슨 점쟁이나 예언자라서 앞날을 내다본 것이 아니라 일본 역시 똑같은 과정을 거치는 걸 두 눈으로 뻔히 지켜보았기 때문이다.

그래서 쓰레기 문제에 꾸준히 관심을 가지고 일본과 한국의 사정을 비교해 보기도 했고, 다이옥신에 대해서도 내 딴에는 열심히 공부해 왔다. 비록 전문가는 아니지만 다이옥신에 대해서만큼은 누구하고 논쟁을 벌여도 밀리지 않을 자신이 있다. 일본 학자들을 한국으로 초청해서 세미나를 벌이기도 하고, 한국의 관련 공무원이나 환경 단체 사람들이 일본의 실태를 직접 확인할 수 있는 기회를 마련하기도 했다.

더러는 내가 그렇게 열심히 한국의 쓰레기 문제에 집착하는 이유를 궁금하게 생각하기도 한다. 심지어 나 자신과 일본 기업의 이익을 위해 일본의 쓰레기 소각 관련 기술과 장비를 한국에 소개하려고 뛰어다니는 것 아니냐고 생각할 수도 있다.

그러나 나는 굳이 많은 돈을 모아야 할 필요가 없는 사람이다. 한국 사람들한테 피해를 주면서까지 일본 기업이 돈을 벌도록 돕고 싶은 생각은 더 더욱 없다.

이런 이야기를 어떻게 받아들일지 모르지만, 한국의 쓰레기 문제를 해결하는 데 조금이라도 도움이 되었으면 좋겠다는 것이 나의 유일한 바람이다. 그것이 지금까지 나를 따뜻하게 대접해 준 한국에 보답하기 위해 내가 할 수 있는 마지막 일이라고 생각한다.

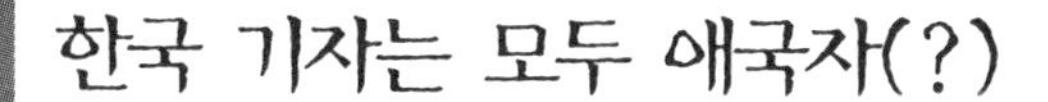

한국 기자는 모두 애국자(?)

한국 언론은 지나치게 자국 정부와 국민만 옹호한다. 현재 바깥에서 바라보는 한국 경제에 대한 전망은 반드시 낙관적인 견해가 우세하다고 할 수 없는 형편인데도 한국 신문을 보면 머지않아 한국이 'IMF를 졸업'할 것처럼 생각된다.

나는 매일 아침 늦어도 5시에는 일어난다. 일어나면 커피 한 잔 끓여 마시면서 책이나 신문을 뒤적이다가 6시가 되면 텔레비전을 켠다. 예전에는 아침 운동을 한답시고 뛰어다녔는데, 나이를 먹고 몸이 말을 안 들어서 뜀박질조차 할 수가 없으니 텔레비전이나 보는 수밖에 없다. 7시까지는 일본 방송 뉴스를 보고, 7시에서 8시까지는 한국 뉴스를 보다가 출근길에 나선다.

한국과 일본이 얼마나 가까운 나라인가 하는 것은 이 뉴스 시간대에 여실히 입증된다. 시시콜콜한 사건 사고까지야 아니더라도 양국 국내에서 비중 있게 다룬 소식은 어김없이 상대방 뉴스 시간에 보도된다. 덕분에 나는 두 나라의 언론을 가만히 앉아서 직접 비교하는 기회를 얻을 수 있다.

결론부터 말하자면 두 나라 언론 모두에 문제가 있다. 한국 언론은 지나치게 자국의 이익(엄밀히 말하면 자국 정부의 이익)을 옹호하는 입장에서 현상을 바라보는 반면, 일본 언론은 어떻게 하든지 자국 정부를 깎아내리지 못해 혈안이 된 것처럼 보인다. 언론이란 자고로 어느 한쪽으로 치우침 없이 공평정대해야 한다는 점을 생각하면 두 나라 언론 모두 낙제점을 면할 수 없는 수준이라는 점에서는 공통점이 있다.

우선 일본 언론은 정부를 비판하는 것만이 바람직한 언론의 자세라고 생각하는 듯하다. 그렇게 해야 신문도 잘 팔리고 시청률도 올라간다고 생각하는 모양이다.

물론 권력의 눈치를 보지 않고 소신껏 국민의 입장을 대변하는 것은 언론이 마땅히 걸어야 할 정도기는 하다. 그러나 비판을 위한 비판, 반대를 위한 반대는 당장 듣기에 속이 시원할지는 모르지만 궁극적으로는 모두의 발목을 잡는 어리석은 행동이다.

현재 일본 정부는 침체에 빠진 경기를 되살리기 위해 많은 노력을 기울이고 있다. 경기부양 정책을 펼치기 위해 무려 60조 엔이라는 어마어마한 예산을 투자할 계획도 세우고 있다. 급기야는 3만 엔짜리 상품권을 모든 일본 국민한테 나누어 주겠다는 계획을 발표하기까지 했다. 현금으로 주면 쓰지 않고 저축해 버리는 국민성 때문에 내놓은 고육지책인 셈이다.

경기가 좋지 않다고 모든 국민이 쓸 것 안 쓰고 알뜰살뜰 모으기만 하면 물건이 안 팔려서 경기가 더욱 나빠지게 마련이다. 이런 사정은 한국도 마찬가지여서 한국 언론은 심심찮게 '어려운 때일수록 있는 사람들이 돈을 좀 써 주어야 한다' 는 논조를 펼친다.

그러나 일본 언론은 예나 지금이나 변함 없이 '근검 절약' 을 강조한다. 기업의 접대비를 더 줄여야 한다는 주장도 흔히 볼 수 있다. 분수를 모르고 흥청망청 써 대는 과소비가 문제지, 기업이 접대비를 쓰지 않고 어떻게 비즈니스를 할 수 있단 말인가. 또 기업이 접대비를 한푼도 안 쓰면 유흥업소 같은 데서 일하는 사람들은 어떻게 먹고 살라는 말인가. 다른 것은 다 차치하고 공짜 상품권까지 나눠 주면서 소비를 늘려 보려고 안간힘을 쓰는 정부의 체면을 봐서 동조해 주는 체라도 하면 좋을 텐데, 일본 언론은 영 그렇게 되지 않는 모양이다.

그런가 하면 한국 언론은 지나치게 자국 정부와 국민만 옹호한다. 현재 바깥에서 바라보는 한국 경제에 대한 전망은 반드시 낙관적인 견해가 우세하다고 할 수 없는 형편인데도 한국 신문을 보면 머지않아 한국이 'IMF를 졸업' 할 것처럼 생각된다.

특히 한일 관계라는 문제에서 한국 언론은 일본 입장을 철저하게 무시해 버리는 경우가 많다. 물론 국민 정서나 민족 감정을 해치지 않으려는 마음은 이해되지만 최소한의 사실 보도까지 외면해 버리면 곤란하다.

단적인 예로 1998년 새해 벽두부터 터져 나온 한일 어업 협상 폐기 문제를 보자. 당시 한국은 새 대통령이 당선되었지만 아직 취임은 하지 않은 과도기에 있었고, 더욱이 바로 직전에 터져 나온 IMF 구제금융 문제로 온 나라가 어수선한 상태였다. 그 와중에 일본 정부는 한일 사이에 체결된 어업 협상을 파기할 것이라는 발표를 내놓았다.

어업 협상 문제는 두 나라의 경제 수역이나 독도 영유권처럼 여론의 초점이 될 만한 중요한 변수가 관련되어 있기 때문에 대단히 민감한 사안이 아닐 수 없다. 그런 문제를 한국이 안팎으로 한창 어려움에 직면해 있을 때 불쑥 제기한 일본 정부의 의도가 도마 위에 오르는 것은 어찌 보면 당연한 일이다.

그러나 내가 문제삼고 싶은 것은 그 사건을 보도하는 한국 언론의 태도다. 불난 집에 부채질하는 듯한 일본 정부의 처사는 한국 사람들에게 불쾌한 감정을 불러일으킬 소지를 안고 있는 것이 사실이다. 그러나 언론이 그런 감정에 휩쓸린 채 앞장 서서 흥분해 버리면 곤란하다. 내가 보기에 방송과 신문을 통틀어 모든 언론사에 어업 협상이라는 게 무엇이며 현재 체결된 조약에 어떤 문제점이 있는가, 한국이 심각한 어려움에 처해 있는 마당에 일본이 그런 문제를 제기할 수밖에 없는 불가피한 사정은 없는가 등을 차분하게 돌아보고 정리해 낸 기자는 한 사람도 없는 것 같다.

다른 정치적 변수를 모두 배제하고 어업협상 자체만 놓고 보았을 때 현행 어업 협상의 문제점은 일본 어민을 제대로 보호할 수 없다는 점이다. 사면이 바다로 둘러싸인 섬나라인 일본에서는 일찍부터 어업이 중요한 생계 수단이었다.

따라서 일본 어민은 어업 자원을 확보하고 보호하기 위해 노력과 투자를 아끼지 않는다. 표현이 어떨지 모르지만 일본 근해는 거의 일본 어민의 '양어장'이라 해도 과언이 아니다.

문제는 지금의 어업 협상으로는 한국 어선들이 일본 근해에서 고기잡이하는 것을 막을 길이 없다는 것이다.

더욱이 일본의 자위대는 무력을 사용할 수 없다. 기껏 말로 타일러서 돌려보내는 것이 고작인데, 한국 어선은 총칼을 들지 않은 일본 자위대를 우습게 본다. 이따금 한국 어선이 일본에 나포

되는 사건이 발생하는 것도 그 때문이다.

내가 이런 말을 하는 것은 어업 협정을 둘러싼 일본 정부의 태도를 옹호하기 위해서가 아니다. 잘 한 일인가 잘못한 일인가 따지기 이전에 한국 언론이 객관성을 확보하기 위해 최소한의 노력조차 기울인 흔적을 보여 주지 않은 것이 불만스러울 뿐이다.

한국의 미래는 과연 있는가

부실공사 추방 원년

부실공사 추방 원년이라는 구호에는 내가 생각한 것보다 훨씬 더 '깊은 뜻'이 담겨 있던 모양이다. 바로 그 '원년'에 성수대교가 무너졌으니 말이다. 1994년이 바로 성수대교가 무너진 '부실공사 추방 원년'이었다.

1994년이었다. 공사장마다 플래카드를 내걸어 놓은 것이 눈에 띄었다.

'부실공사 추방 원년'

솔직히 말해서 그걸 볼 때마다 조금 우습다는 생각이 들었다. 금년부터 부실공사를 하지 않겠다는 뜻인데 그렇다면 작년까지는 부실공사를 해 왔다는 말이 아닌가.

물론 그 구호에 담긴 뜻을 모르는 바는 아니다. 각종 공사 현장에서 한국 사람들이 어떤 식으로 일하는지 수없이 보아 왔기 때문이다. 하지만 같은 말이라도 조금 덜 노골적으로 표현할 수는 없었을까.

건물을 짓고 다리를 놓는 사람들이 어제까지 부실공사를 했지만 오늘부터는 제대로 하겠다는 소리를 어찌 그토록 쉽게 할 수 있단 말인가. 그 건물에 들어가 살고 그 다리를 지나다니는 사람들은 대체 무얼 믿고 살란 말인가.

그러나 부실공사 추방 원년이라는 구호에는 내가 생각한 것보다 훨씬 더 '깊은 뜻'이 담겨 있던 모양이다. 바로 그 '원년'에 성수대교가 무너졌으니 말이다. 무엇이든 잘 잊어버리는 사람들은 "그게 벌써 그렇게 됐나?" 하겠지만, 1994년이 바로 성수대교가 무너진 '부실공사 추방 원년'이었다.

독일 라인 강 하류에 '레마겐 다리'라는 유명한 다리가 있다. 2차 세계대전 당시 미군에게 쫓기던 독일군은 미군이 더 이상 추격하지 못하도록 그 다리를 폭파시키려 했다. 웬만한 다리도 간단히 날려 버리도록 충분히 폭약을 넣어 폭파를 시도했지만 다리는 꿈쩍도 하지 않았다. 다시 한 번 폭파를 시도했는데, 이번에도 조그만 구멍이 뚫렸을 뿐 다리 자체는 멀쩡했다. 더 이상 미적거릴 여유가 없던 독일군은 할 수 없이 그냥 철수해 버렸고, 수만 명이나 되는 미군은 유유히 이 다리를 건너 독일군을 궤멸시켰다. 당시 미군 사령관은 "레마겐 다리가 붕괴되었더라면 연합군의 승리는 6개월 이상 늦어졌을 것"이라는 말을 남겼다.

다리란 이런 것이다. 로마에 가면 기원전에 돌로 만든 아치형 다리가 지금도 남아 있다. 프랑스의 퐁뒤가르 다리는 기원 후 14년에 만들었는데 그 길이가 무려 250미터나 된다.

굳이 다른 나라의 다리를 들먹일 필요도 없다. 경주 불국사의 청운교, 백운교는 신라 경덕왕 때 만든 것이니 햇수로 치면 1천년이 훨씬 넘었다. 가 보지는 못했지만 정몽주가 피를 흘리고 죽었다는 개성의 선죽교 역시 고려 시대에 만든 다리라는데 지금도 멀쩡하게 버티고 있다.

그런데 성수대교는 지은 지 15년 만에 무너져 버렸다. 설계 당시에 계산한 것보다 훨씬 많은 차량이 지나다니는 바람에 그 하중을 견디지 못해서 무너졌다고 한다. 백 번을 양보해서 그럴 수 있다고 하자. 하지만 차가 단 한 대도 지나다니지 않은, 아직 건설중인 다리가 무너진 것은 어떻게 설명할 수 있는가.

한국 사람들하고 이런 이야기를 해 보면 신행주대교가 건설중에 무너져 내렸다는 사실을 대부분 기억한다. 그러나 팔당대교가 건설중에 두 번이나 붕괴되어 사람들이 죽고 다쳤다는 사실을 기억하는 사람은 별로 없다. 하물며 올림픽대교나 남해의 창선대교 붕괴 사고를 기억하는 사람은 관련 당사자말고는 거의 없을 것이다.

그 다리들을 건설할 때 하나같이 최신 공법을 이용했다는 점도 사고를 일으킨 요인 가운데 하나라고 할 수 있다. 예전에는 간단하게 교각을 박고 그 위에 상판을 얹는 방법으로 다리를 건설했다. 튼튼한 다리를 비교적 쉽게 만든다는 장점이 있지만, 대신 미관상 투박하고 교각이 많기 때문에 물살의 흐름에 방해가 되는 단점도 있다.

그래서 개발한 기술이 이른바 '트러스 공법'이다. 교각과 교각 사이의 거리를 멀리까지 떼어놓을 수 있어 보기에 좋기는 한데, 안전성은 그만큼 떨어진다. 성수대교는 착공 당시에 최신 기술로 간주되던 이 트러스 공법을 도입해 만들었다.

그 다음에 선을 보인 다리 건축 기술은 거대한 케이블을 이용해 주탑 상단을 상판과 바로 연결시키는 사장교(斜張橋)다. 팔당대교와 올림픽대교, 신행주대교 등이 모두 이 공법을 사용했다. 하나

같이 건설 도중에 붕괴 사고를 일으킨 다리들이다.

결론적으로 한국 사람은 좋게 말하면 '진취적'이고, 듣기 싫은 말로 하면 '겉멋'을 좋아한다고밖에는 할 수 없다. 확실히 무엇이든 새것은 좋다. 왜? 새거니까. 그러나 새것일수록 그만큼 위험 부담이 따른다. 왜? 새거니까.

새로운 기술을 도입하기 위해서는 치밀하고 신중한 준비 과정이 선행되어야 한다. 그만한 준비가 되어 있지 않다고 판단되면 과감하게 새것을 포기해야 하는 것 아닐까. 남들보다 한 발 앞서 새로운 경지를 개척하겠다는 실험 정신, 도전 정신은 가상하지만 다리를 짓는 대형 프로젝트에서 실전을 통해 실험을 하려 들면 수업료가 너무 비싸게 먹힌다.

다른 사람들은 어떤지 모르겠지만 내가 지은 다리가 무너져서 애꿎은 사람들이 죽었다면 나는 스스로 목숨을 끊어 버리고 만다. 창피해서 어떻게 고개를 들고 다닌단 말인가.

부실공사 추방 원년에 성수대교가 무너졌고, 그 이듬해에는 삼풍백화점이 무너졌다. '원년' 이전에 지은 것이라서 그랬는지 모른다. 그러나 이후에도 지하철이나 경부고속철도 등 수많은 공사 현장에서 부실은 계속되고 있다. 한국에서 정말로 부실이 추방될 원년이 하루빨리 시작되기를 바라는 마음 간절하다.

차라리 독도를 폭파해 버리자

독도 문제는 두 나라 정치 지도자에게는 잘못 건드리면 치명상을 안길 수도 있는 '뜨거운 감자'다. 그러나 50년이 넘도록 지루한 신경전만 계속되고 있다. 오죽했으면 1960년대 한일회담 당시 "차라리 독도를 폭파해 버리자"는 말까지 했을까.

모두가 그런 것처럼 나 역시 나를 낳아 준 조국, 일본이라는 나라를 누구 못지않게 사랑한다고 자부한다. 그러나 일본의 국익을 위해 양심을 팔아먹을 정도로 대단한 애국자는 아니다. 내가 그렇게까지 하지 않아도 일본은 망하지 않을 것이기 때문이다.

어떤 친구들은 일본과 한국의 국익이 팽팽하게 맞서는 상황이라면 과연 내가 어느 쪽 손을 들어 줄 것인지 궁금해 한다. 어리석은 질문이다. 언제나 그랬듯이 나는 철저하게 객관적인 관점에서 합리적인 기준으로 판단하려고 노력할 뿐이다.

독도 문제만 해도 그렇다. 독도는 누가 봐도 분명히 한국 땅이다. 어떤 이들은 일본 사람들이 어렸을 때부터 독도는 일본 땅이라고 배워 왔기 때문에 그렇게 알고 있다고 말하지만, 내 생각에는 그렇지 않다. 일본에도 독도가 한국 땅이라고 생각하는 사람이 많다. 어떤 일본 사람은 독도가 한국 땅이라고 양심선언까지 했다.

물론 일본 교과서에는 독도가 일본 땅이라고 표시되어 있지만, 알 만한 사람들은 억지라는 걸 안다. 하지만 일본 어민은 생각이 좀 다르다. 그들에게는 독도 주변에서 마음대로 고기잡이를 할 수 있느냐 없느냐가 아주 중요한 문제다. 그래서 역사가 어떻고 국제법 규정이 어떻건 그들로서는 독도가 한국 땅이라는 사실을 용납할 수 없다.

전체 인구에서 차지하는 비율만 따지면 일본 어민은 4퍼센트밖에 되지 않는다. 그러나 알다시피 일본은 섬나라여서 전체 국회의원 가운데 80퍼센트 이상은 자기 선거구에 어촌 마을이 포함되어 있다. 비록 수적으로는 많지 않지만, 그들에게 잘못 보이기라도 하는 날이면 다음 선거에서 커다란 영향을 받게 된다. 그래서 그들이 심심하면 한번씩 독도 문제를 들고 나오는 것이다.

정치인들 역시 마찬가지다. 일본의 정치인들 가운데 극도로 우익적이고 보수적인 몇몇 인사를 제외하면 진심으로 독도가 일본 땅이라고 믿는 사람은 없다. 그러나 교과서조차 독도가 일본 땅이라고 가르치는 마당에 자신들이 앞장 서서 독도는 우리 땅이 아니라 한국 땅이라고 말할 수는 없지 않은가.

독도 문제는 한국과 일본 두 나라 정치 지도자에게는 잘못 건드리면 치명상을 안길 수도 있는 '뜨거운 감자' 다. 그러나 50년이 넘도록 아무런 실속도 없는 지루한 신경전만 계속되고 있다. 오죽했으면 김종필 총리가 1960년대 한일회담 당시 "차라리 독도를 폭파해 버리자"는 말까지 했을까.

물론 지금도 전세계에는 독도를 일본 땅이라고 생각하는 사람이 많다. 동아시아 10개국 국민을 대상으로 한 여론조사에서 태국을 제외한 나머지 9개국 국민이 독도를 일본 땅으로 생각한다는 결과가 나온 적도 있다. 또한 1994년판『UN 백과사전』의 독도 항목에는 이렇게 기록되어 있다.

"다케시마(한국명 독도) : 일본과 한국 사이에 위치한 한 섬의 일본명으로, 일본 영해 12마일 안에 있으며 한국 경찰의 경비초소가 설치돼 일 · 한 간 분쟁 아래 있는 섬."

국제 사회에서 독도가 일본 땅으로 인정받게 된 것은 2차 세계대전 이후 미국을 비롯한 연합국이 패전국인 일본을 대상으로 강화조약을 체결하던 무렵부터다. 이때 일본 사람들이 독도는 우리 땅이라고 강력하게 주장한 반면 한국은 그런 논란이 벌어지는 것조차 모르고 가만히 있었다.

그러나 그것만으로 독도가 국제법상으로 일본 영토가 확실하다고 주장할 수는 없다. 따라서 한국 쪽에 독도 문제를 깨끗이 정리하고 싶은 마음이 있으면 아주 간단한 해결 방법이 있다. 국제재판소에 제소해 버리면 된다.

1960년대 한일회담 당시에는 일본이 독도 문제를 국제재판소에 회부하자고 큰소리쳤다. 그러자 한국 쪽에서 펄쩍 뛰며 안 된다고 반대했다고 한다. 당시만 해도 한국과 일본은 국력 차이가 엄청났기 때문에 독도 문제가 국제재판소에 회부되면 힘센 일본이 앞장 서서 바람을 잡을 것이고, 국제 사회는 시시비비를 제대로 따지지도 않고 일본의 손을 들어 줄 것이라고 믿었다.

그러나 이제는 시대가 변했다. 아직 한일 간 국력 차이가 있는 것은 사실이지만 1960년대와 비교할 정도는 아니다. 국제 사회 또한 무조건 강대국에 유리한 판결을 내릴 수 없을 정도로 성숙되고 안정되어 있다.

독도가 한국 영토임을 나타내는 역사적 증거는 얼마든지 있다. 지리적으로 따져도 독도는 일본보다 한국에 가깝다. 또한 '실질적인 영유'라는 부분에서도 한국은 독도 수비대를 파견하여 지키고 있으므로 절대적으로 일본보다 유리하다. 이런 점을 모두 감안하면 독도 문제가 국제재판소에 회부되었을 때 어떤 결론이 내려질지는 분명하다.

어쩌면 일본의 정치 지도자들도 독도 문제 때문에 골치가 아플 때마다 차라리 한국이 국제재판소에 제소해서 강제로라도 이 문제가 정리되어 버렸으면 좋겠다고 생각할지도 모른다. 그런데도 한국의 정치 지도자들이 이러한 조치를 취하지 않는 이유는 내가 보기에 딱 하나밖에 없다. 만의 하나 그런 시도가 실패로 돌아갈 경우, 그러니까 국제재판소에 제소했다가 일본의 승리로 낙착될 경우에 돌아올 엄청난 충격을 감당할 용기가 없는 것이다. 정말로 그런 사태가 벌어진다면 그 지도자의 정치 생명은 그날로 완전히 끝장날 것이 분명하다.

언젠가 일본의 한 정치인이 한국 정치인을 만난 자리에서 "일본에는 독도가 일본 땅임을 증명해 주는 역사적 자료가 많으니 독도를 돌려 달라"고 요구했다고 한다. 그러자 한국 정치인은 "한국에는 쓰시마 섬이 한국 땅임을 증명해 주는 역사적 자료가 많으니 독도와 쓰시마 섬을 맞바꾸자"고 응수했다는 것이다. 독도 문제에 대해서만큼은 한국이 이 정도 자신감을 보일 만한 충분한

근거가 있다.

그런데도 한국 정부는 '독도는 우리 땅' 이라는 인기 가요를 금지곡으로 묶어 버린 적이 있다. '일본을 자극할 우려가 있다' 는 것이 그 이유였다고 한다. 나는 이것이 한국 사람들의 피해 의식을 보여 주는 대표적인 사례라고 생각한다. 일본의 눈치를 보느라 국민이 좋아하는 노래까지 못 부르게 할 정도라면 차라리 폭파시켜 버리는 것이 나을지도 모르겠다.

'혼네'와 '다테마에' 사이

내가 보기에 한국의 대일 감정 해소책은 한국이 하루빨리 일본보다 더 잘사는 나라가 되는 길밖에 없다. 그렇게 되면 지금 한국이 몽골 사람들한테 악감정을 가지고 있지 않은 것과 마찬가지로, 일본에 대해서도 피해의식을 떨쳐 버리고 진정한 동반자 위치에 설 것이다.

한국 사람들이 세상에서 가장 싫어하는 나라는 십중팔구 일본이다. 신세대를 중심으로 일본에 대한 부정적인 인식이 묽어지고 있는 것은 다행스러운 일이지만(그런 현상을 걱정스럽게 생각하는 사람이 많다는 것도 안다), 일본이라는 나라에 대한 인식이 바뀌어 가는 결과라기보다는 국적에 관계없이 감각적이고 세련된(혹은 천박한?) 문화를 선호하는 젊은이 특유의 취향 때문이라고 봐야 할 것이다.

한국 사람들은 왜 그렇게 일본을 싫어할까? 그들은 36년 동안 일본이 한국을 지배한 가슴 아픈 과거를 이야기한다. 여기에서 비롯되는 국민 감정은 어쩔 수 없는 것으로 보인다. 당장 그 시대를 지칭하는 표현부터 '일제 식민 지배' 라는 말과 '일본 통치 시대' 라는 말로 갈라진다.

한국 사람에게 안중근 선생은 가장 존경스러운 독립투사요 의사(義士)지만 일본 사람에게는 한낱 테러리스트요 암살자일 뿐이다. 오히려 그의 흉탄(?)에 쓰러진 이토 히로부미(伊藤博文)야말로 일본을 대표할 만한 국민적 영웅으로 치부된다.

물론 나는 일본의 한국 통치를 정당화하고 싶은 마음은 조금도 없다. 어떻게 표현하든 역사는 그 자체의 역사로서 남을 뿐 부정한다고 없어지는 것도 아니고, 미화한다고 가려지는 것도 아니다. 또한 그 36년이라는 세월 동안 한국 국민이 말로 표현할 수 없는 고통을 겪었다는 사실도 안다.

그러나 냉정하게 마음을 가라앉히고 생각해 봐야 할 문제가 있다. 역사적으로 한국에 가장 큰 피해를 끼치고 고통을 준 나라가 과연 일본인가?

나는 그렇게 생각하지 않는다. 정신적 물질적 피해를 가지고 따지자면 지금부터 700년 전 한국 땅을 짓밟은 원나라, 몽골을 떠올리지 않을 수 없다. 그 무렵 몽골의 군사력은 세계 최강이었다. 그들이 세계 역사상 가장 광대한 영토를 점령하는 데 성공한 것은 비단 막강한 군사력 때문만은 아니다.

몽골인은 자신들에게 항복하는 사람은 관대히 살려 주었지만 대항해 오는 세력에 대해서는 철저하게 응징하는 전략을 구사했다. 칭기즈 칸의 아들이 전장에서 전사하자 몽골군은 그 지역 주민을 한 사람도 남기지 않고 모조리 살해해 버릴 정도였다. 그런 몽골인의 잔인성을 알고 있는 사람들은 섣불리 대항했다가 패배하는 날이면 민족 자체가 말살될 수도 있다는 사실 때문에 제대로 싸워 보지도 못하고 항복해 버렸다.

그러나 당시 한국 사람, 아니 고려 사람들은 그런 잔인무도한 몽골군을 맞아 무려 100년 가까운 세월 동안 거세게 저항한 끝에 결국 항복하고 말았다. 문제는 그 100년 동안 한반도가 거의 초토화되었다는 사실이다. 수많은 인명이 살육당했음은 물론이고 삼국 시대를 거쳐 통일 신라가 꽃피웠던 화려한 문화 유산이 대부분 파괴되었다.

요즈음에도 종군 위안부 문제가 나올 때마다 많은 사람이 거품을 물고 일본을 비난한다. 그러나 혹시 '호수만복(胡水滿腹)'이란 말을 들어 본 적이 있는가? 몽골 침략 당시 그들에게 몹쓸 짓을 당한 여인이 무척 많았던 모양이다. 그래서 임금이 커다란 연못을 파고 그 물에 몸을 씻으면 모든 더러움이 사라진다고 선언하여 많은 여인이 새 삶을 살도록 도와 주었다. 오죽하면 그랬겠는가?

일본이 36년 동안 한국을 지배하면서 몽골 못지않은 피해를 준 것은 사실이다. 그러나 일본 보수 세력 중에는 그 점을 인정하면서도 일본의 한국 지배가 한국에 도움을 준 측면도 없지 않다고 주장하는 사람들이 있다.

단적인 예로 건축 현장이나 심지어 지식 산업의 본산이라는 출판계에는 아직도 일본의 전문 용어가 상당수 남아 있다. 이것은 일본의 한국어 말살 정책을 논하기 이전에 어떤 방식으로든 일본 기술이 한국 땅에 이식되었고 지금까지 영향을 미치고 있음을 의미한다.

하드웨어 역시 마찬가지다. 일본이 닦아 놓은 철길로 지금까지 기차가 다니고 있고, 일본이 세워 놓은 한강 다리로 사람들이 지나다니고 있다. 물론 일본이 한국의 물자를 더 효율적으로 수탈하기 위해 다리를 놓고 도로를 닦은 것까지 부정할 수는 없지만, 동기야 어떻든 그 시설물은 여전히 한국의 재산으로 남아 있다.

이런 식으로 따지면 몽골은 한국에 피해만 주고 아무것도 해 준 게 없지만 일본은 쥐꼬리만큼이라도 긍정적인 면을 남겼다, 그렇기 때문에 한국 사람들은 일본보다 몽골을 더 미워하고 싫어해야 한다는 논리가 성립되는 건지도 모르겠다. 그러나 한국 사람들이 몽골을 '철천지원수'로 생각하지 않는 것은 그들이 한국에 준 상처가 작거나 그 동안 세월이 많이 흘러 잊어버렸기 때문이 아니다. 그보다는 현재 몽골이 한국과는 비교도 할 수 없을 만큼 가난하고 비참하기 때문이다. 인종학적으로나 언어학적으로 몽골과 한국은 같은 뿌리에서 나온 민족일 가능성이 높다. 외모를 봐도 한국 사람과 몽골 사람은 굉장히 비슷하게 생겼다.

그러나 일본은 그렇지 않다. 일본은 옛날부터 한국 문명을 받아간 나라가 아닌가. 일본 문명이 상당 부분 한국을 거쳐서 들어갔다는 것은 움직일 수 없는 역사적 사실이다. 그런 처지에 한국이 쇄국 정책으로 문을 닫아건 몇십 년 사이에 외국 문물을 받아들여 먼저 힘을 길렀다고 냉큼 침략해서 나라를 통째로 집어삼켜 버렸다.

어디 그뿐인가. 한국이 동족상잔의 비극을 겪고 있을 때 일본은 아낌없이 장삿속을 채워 이제 세계 제일의 선진국이 되었다고 떵떵거리고 있다. 한국 사람들이 약올라 하는 것은 바로 그 부분이다. 역사적으로 일본이라는 나라에 막대한 피해를 당했기 때문에 미워하고 싫어하기보다는 일본이 한국보다 잘살기 때문에 배가 아픈 것은 아닐까.

한국 사람들은 수많은 외세 침략을 받으면서도 꿋꿋하게 한 민족 한 핏줄을 이어오고 있다는 것을 자랑스럽게 생각한다. 그러나 나는 거기에도 적지 않은 의문을 느끼고 있다.

신라가 삼국을 통일했을 무렵 백제를 지원하기 위해 10만 일본 병사가 건너왔는데 모두 살해되었다고 한다. 그러나 총도 대포도 없던 그 시절 무려 10만이나 되는 사람을 살해하는 것이 그렇게 간단한 일이었을까? 백제 사람들 틈에 섞여 백제 사람 행세를 하며 살아 남은 일본인은 없을까?

앞에서 언급한 '호수만복'의 경우도 마찬가지다. 과연 그 물에 몸을 씻는다고 몽골 병사들이 뿌리고 간 씨가 모두 씻겼을까? '임진왜란'은 또 어떤가. 당시 두 차례에 걸쳐 무려 30만이나 되는 일본 병사가 조선에 상륙했다. 그들이 다 일본으로 돌아갔을까? 그 후 36년 간 일본 통치 시절에 '점령자'인 일본인들이 한국 땅에서 온갖 몹쓸 짓을 했다는 사실은 누구나 알고 있지 않은가.

한국 사람의 핏줄 속에 일본인 피가 섞여 있을 거라는 쪽으로만 생각하자는 것이 아니다. 일본 땅에도 수많은 한국 사람들이 들어가 살았다. 신라가 삼국을 통일한 668년 이후 10만 백제 사람이 일본으로 망명을 떠났다고 한다. 당시만 해도 일본은 삼국 통일로 막강한 힘을 얻게 된 신라의 눈치를 살펴야 했다. 그래서 백제인들이 일본과 손을 잡고 힘을 키울지도 모른다는 신라의 걱정을 덜어 주기 위해 일본은 교토에 모여 살던 백제 사람들을 시골로 내려보냈다. 그들이 어디로 가서 어떻게 자손을 번창시켰는지는 아무도 모르는 일이다.

그뿐만이 아니다. 신라가 삼국을 통일하면서 한꺼번에 많은 백제인이 일본으로 건너갔다고 했지만, 사실은 그 이전인 5세기 말부터 한반도에서 건너간 사람들이 일본에 자리를 잡기 시작했다고 전해진다. 이들이 이른바 '도래 민족'인데, 이후 일본에서 무사 집단을 이루게 된다. 이들은 힘이 점차 강해지자 천황과 손을 잡고 정권을 탄생시켰는데, 계속 무사 집안의 딸이 황후가 되어 천황과 결혼을 하게 되었다는 것이다. 그러므로 일본에서 가장 확실하게 한국 사람 피가 섞여 있는 집안이 바로 일본의 황족이라는 이야기다.

이상과 같은 여러 가지 정황을 종합해 보면 굳이 한국 민족과 일본 민족을 구분한다는 것 자체가 무의미한 것 아닌가 하는 생각마저 든다. 이렇게 말하면 이른바 '내선일체(內鮮一體)'라며 과거 일본이 주장하던 이데올로기를 떠올리며 불쾌하게 생각할 사람들이 있을지 모르겠다. 그러나 나 자신만 해도 이케하라라는 이름이 한국식으로 하면 '지(池)'씨에 해당하니 한국 사람의 자손일지도 모른다는 생각을 하지 않을 수 없다.

이토록 장황하게 엉뚱한 소리를 늘어놓은 것은 일본이 한국에 미친 피해는 몽골과 비교하면 사소하다 할 수 있으니 그만 과거사는 역사 속에 묻어 두자는 이야기를 하기 위해서가 아니다. 또한 한국 사람과 일본 사람의 뿌리가 처음부터 한 줄기는 아니었다 해도 지금 굳이 이쪽 저쪽을 가리기가 곤란해진 만큼, 한국 사람이 일본을 비난하는 것은 결국 '누워서 침 뱉기'밖에 되지 않는다는 이야기를 하고 싶은 것도 아니다.

내가 하고 싶은 이야기는 어떤 방법으로든 한국 사람과 일본 사

람이 머리를 맞대고 두 나라 사이의 해묵은 감정을 해결하는 방법을 찾아야 한다는 점이다. 일본이 진심으로 과거의 잘못을 반성하고 사과해도 한국 국민의 감정이 좋아지지는 않는다. 이미 일본 천황이 몇 번이나 과거사에 대한 '유감의 뜻'을 밝혔지만, 여전히 한국 사람들은 일본의 '혼네(本音, 속마음)'가 아니라 '다테마에(立て前, 겉치레)'일 뿐이라고 생각한다. 그렇다고 지금까지 지불한 배상금은 너무 적은 액수였으니까 한국의 외채를 일본이 다 갚아 주겠다고 약속해서 해결될 일도 아니다.

내가 보기에 한국의 대일 감정 해소책은 한국이 하루빨리 일본만큼, 아니 일본보다 더 잘사는 나라가 되는 길밖에 없다. 그렇게 되면 지금 한국이 몽골 사람들한테 악감정을 가지고 있지 않은 것과 마찬가지로, 일본에 대해서도 피해 의식을 떨쳐 버리고 진정한 동반자 위치에 설 것이다. 궁극적으로는 한국은 물론 일본이 지금보다 한 단계 더 발전하는 지름길이 될 것이고, 나아가 어깨를 나란히 하고 세계를 이끌어 가는 지도자 역할을 함께 수행할 수 있게 될 것이다.

한국 말도 제대로 못하고 한국 음식도 못 먹는 내가 26년 동안이나 한국 땅을 떠나지 못하는 것은 그런 가슴 설레는 미래로 나아가는 데 조그만 버팀돌이나마 되고 싶기 때문이다.

머리가 너무 좋아 탈이야

하나의 소각장이 건설되어 제대로 가동하는 데에 1에서 10까지 기술이 필요하다고 하자. 한국 사람들은 처음에 열심히 기술을 배운다. 그러다가 대여섯 정도까지 알고 나면 서서히 태도가 달라진다. 이 정도면 배울 만치 배웠으니 나머지는 우리끼리 알아서 처리하겠다고 나오는 것이다.

한국에는 기술 수준이 세계적인 분야가 적지 않다. 하지만 전체적으로 보면 기술 수준이 많이 떨어지는 것 또한 사실이다. 이것은 조금도 부끄러운 일이 아니다. 남들보다 늦게 시작했으니 뒤처지는 것은 당연하다.

이제부터라도 열심히 하면 머리 좋은 한국 사람들인 만큼 금방 따라잡을 수 있다. 그런데 내가 겪은 바에 따르면 바로 이 '좋은 머리'가 한국의 기술 발전에 오히려 걸림돌이 되는 것 같다.

한국 사람들이 흔히 하는 말 중에 '하나를 가르치면 열을 안다'는 것이 있다. 하나를 가르쳐서 두셋 정도 안다면 어느 정도 이해되지만 하나를 가르쳤는데 열 개씩이나 알아 버린다는 것은 비정상이라고 할 수밖에 없다.

나는 쓰레기 소각장 건설과 관련하여 일본 기술과 자본을 한국으로 들여오는 일에 여러 차례 관여했는데, 제일 골치 아픈 일이 바로 이것이다. 하나의 소각장이 건설되어 제대로 가동하는 데에 1에서 10까지 기술이 필요하다고 하자.

한국 사람들은 처음에 열심히 기술을 배운다. 그러다가 대여섯 정도까지 알고 나면 서서히 태도가 달라진다. 이 정도면 배울 만치 배웠으니 나머지는 우리끼리 알아서 처리하겠다고 나오는 것이다. 싫다는 사람에게 억지로 가르칠 수는 없는 노릇 아니겠는가. 결국 일본 기술진이 철수하고 한국 사람들끼리 소각장을 완성한다.

이런 식으로 소각장을 기껏 완공시켜 놓고 단 한 번도 가동시키지 못한 경우가 있다. 소각로 안에서 쓰레기가 잘 타려면 산소가 충분해야 한다. 원래 설계도에는 이 산소 공급 장치를 두 개 설치하기로 되어 있었는데, 한국 기술자들은 하나만 있어도 충분하다고 판단해 하나만 설치했다. 자신감을 갖는 거야 좋지만, 그 기술을 직접 개발한 사람이 두 개 필요하다고 판단했는데 이제 겨우 입문 단계에 들어선 기술자가 뭘 믿고 하나면 된다고 우기는지 알다가도 모를 일이었다.

나는 초창기 포항제철 건설에도 참여한 적이 있는데, 일본의 냉각 시스템을 도입하기 위한 것이었다. 제철소는 워낙 뜨거운 곳이라 냉각수가 많이 필요하다. 그런데 한 번 쓴 냉각수를 그냥 버리면 아까우니까 더워진 냉각수를 식혀서 다시 사용하는 기술이 필요하다.

원리는 간단하다. 뜨거운 물에 선풍기로 시원한 바람을 쏘여 주면 그냥 두는 것보다 빨리 식는다. 그런데 선풍기를 돌리려면 전기가 필요하다. 일반 가정용 선풍기도 마찬가지로 1단으로 돌아가던 선풍기를 2단으로 돌리면 날개가 두 배로 빨리 돌아가서 두 배로 더 시원해진다. 그런데 회전 속도를 두 배로 늘리기 위해서는 전기가 두 배 더 필요한 것이 아니라 무려 여덟 배가 더 있어야 한다. 그러니 에너지를 절약하는 방법을 모색한다.

한국은 아침과 낮의 기온 차이가 상당히 큰 편이다. 그래서 아침에는 냉각수를 식히기 위해 굳이 선풍기를 돌리지 않아도 된다. 하지만 일일이 사람 손으로 선풍기를 껐다 켰다 하는 방식이 번거롭고 비효율적이라서 외부 온도에 따라 선풍기 작동 여부가 자동으로 체크되는 컴퓨터 시스템이 개발되었다. 내가 포항제철에 납품하려 한 것이 바로 그 시스템이었다.

포항제철에 들어가 담당자를 만나서 한참 시스템의 원리와 구성 등을 설명했더니 대번에 이런 대답이 돌아왔다.

"아, 그 정도라면 우리 기술로도 충분히 개발할 수 있습니다."

자기네도 할 수 있다는데야 더 이상 할 말이 없지 않은가. "아, 그렇습니까. 몰라보아서 죄송합니다" 하고 나오는 수밖에. 그 후 포철은 몇 년에 걸쳐 그 시스템을 개발하기 위해 애를 썼지만, 결국은 실패하고 일본 기술을 도입했다.

한국과 일본의 기업 사이에 기술 제휴라는 문제가 걸리면 이런 논란이 심심찮게 빚어진다. A라는 한국 회사와 B라는 일본 회사가 한국에서 공동으로 사업을 벌이기로 했다고 하자. 일본 회사는 한국 회사를 이용해 한국에서 일거리를 따겠다는 목표를 가지고 있고, 한국 회사는 일본 회사를 통해 기술을 배우겠다는 목표를 가지고 있다. 이럴 때 대부분 한국 회사에서 이런 말이 나온다.

"일본 사람들 정말 치사하다. 기술을 가르쳐 주겠다고 해 놓고서는 우리를 이용해서 일거리만 따 가고 정작 기술 이전은 하나도 안 해 준다."

그러나 일본 쪽에서 하는 이야기는 전혀 다르다.

"한국 사람들 정말 멍청하다. 기술도 단계가 있는데 배울 준비가 되어 있지 않은 사람에게 어떻게 가르친단 말이냐? 컵이 하나 있으면 거기에 담을 물은 한계가 있게 마련이다. 아무리 많은 물을 쏟아 부어 봤자 일정량 이상은 넘쳐 흘러서 버리게 된다. 우리가 왜 그런 짓을 해야 한단 말인가?"

어느 쪽이 옳다 그르다는 이야기는 하고 싶지 않다. 그러나 기술을 배우는 쪽에서는 우선 배우려는 자세부터 되어 있어야 한다. 세상에 어느 선생이 모르는 것 없이 다 아는 학생에게 신바람이 나서 가르쳐 주겠는가. 또 더하기 빼기도 할 줄 모르는 초등학생한테 미분 적분을 가르치려고 생각하는 선생이 어디 있겠는가.

많은 한국 사람이 일본 사람은 약삭빠르고 치사하다는 선입견을 가지고 있다. 자기 이익을 위해 남을 이용하는 데는 선수라는 말도 한다. 그러나 사업하는 사람이 이익을 내기 위해 노력하는 것이 뭐가 나쁘며, 남을 이용하는 것이 뭐가 나쁜가? '이용해 먹는다' 는 말의 어감이 나쁜 것은 사실이지만, 남을 이용하지 않고 자기 혼자 뛰어서 어떻게 살아간단 말인가?

위에서 예로 든 A사와 B사가 애초에 공동 사업을 하기로 한 것 자체가 서로가 서로를 이용하기 위한 것이다. 그런데도 A사 사람 입에서 "이용만 당했다"는 소리가 나오는 것은 결국 자기 능력이 부족해서 그런 것일 뿐 남을 탓할 일이 아니다.

돈 문제만 해도 마찬가지다. 일본에서 자본을 들여온 한국 사람은 틀림없이 1천 원을 꾸었는데 환율에 변동이 생기는 바람에 2천 원을 갚아야 하는 일이 발생할 수 있다. 그러면 또 일본 사람을 욕한다.

아니, 일본이 일부러 엔화 가치를 올리기라도 했단 말인가? 엔화는 가만히 있는데 한국의 원화가 떨어져서 그런 결과가 온 것을 어쩌란 말인가. 1천 원 꾸고 2천 원 갚아야 하는 게 억울하다면 일본 사람을 원망할 것이 아니라 나라 살림을 잘못해서 원화 가치를 떨어뜨린 한국 정부를 원망해야 한다.

나는 이 모든 것이 한국 사람들의 성급한 마음가짐에서 비롯된다고 생각한다. 무슨 일이든 남들보다 빠른 시일 안에 속 시원히 해치워야 한다는 마음이 앞서는 바람에 필요한 절차를 차근차근 밟을 생각을 하지 않는 것이다.

일본이나 미국의 기술자들은 한국 사람에게 일을 시켜 놓으면 왠지 불안하다는 말을 자주 한다. 머리가 좋아서 일을 배우는 속도는 세계 어느 나라 사람보다도 빠른데, 어느 정도 익숙해져서 자신감이 생기면 통제하기가 힘들다는 것이다. 이래서 '좋은 머리'가 언제나 좋은 것은 아니라는 것이다.

동남아시아 사람들에게 일을 시키면 죽었다 깨어나도 시키는 대로만 한다. 옆에서 보고 있으면 좀 답답하기는 하지만 그래도 안심은 된다. 그런데 한국 사람들은 쓱 봐서 자기 생각에 꼭 필요하다 싶지 않은 공정은 '과감하게' 건너뛰어 버린다. 얼른 보기에 일하는 속도도 굉장히 빠르고 융통성이 있어서 좋은 것 같지만, 뒤에 가서 반드시 문제가 생긴다.

물론 반드시 나쁘다고만은 할 수 없다. 죽이 되든 밥이 되든 시키는 대로 아무 생각 없이 따라 하기만 하는 사람에게는 발전이 없다. 시행착오를 거치는 한이 있더라도 이건 왜 이렇게 해야 하는지, 좀더 효율적으로 하는 방법은 없는지 따위를 끊임없이 모색하는 사람은 그만큼 성장 속도가 빠르다. 하지만 그것도 정도를 지나치면 돌이킬 수 없는 사고가 생긴다는 점을 잊어서는 안 된다.

대한민국 훈장

3·1운동 때 민족 대표 33인 가운데 이갑성 선생이라는 분이 있는데, 나는 세 번이나 그분 생신 때 초대받았다.
독립투사의 집에 초대를 받았다는 그 사실 하나만으로도 대한민국이 나에게 훈장을 준 것이나 다를 바 없다고 나는 믿고 있다.

몇 해 전 일본 공항에서 하와이행 비행기를 기다리는 중이었다. 휴가철을 맞아 어린 자녀들을 데리고 하와이로 여행을 떠나는 젊은 일본인 부부가 내 옆자리에서 비행기 출발을 기다리고 있었다.

남편과 아내 둘 다 전형적인 일본의 중산층 엘리트라는 사실을 한눈에 알 수 있었다. 무슨 이야기 끝이었는지는 모르지만, 남편이 이렇게 말하는 소리가 들렸다.

"무슨 소리야, 한국은 분단 국가잖아."

아내는 눈을 동그랗게 뜨고 남편을 올려다보았다.

"어머, 그래요?"

그 젊은 부인은 한국이라는 나라가 남과 북으로 나뉜 사실을 까마득히 모르고 있었다. 일본보다 한국에서 지내는 날이 더 많은 나로서는 충격적인 일이 아닐 수 없었다. 그 뒤로 일본에 갈 때마다 유심히 관찰한 결과 나는 이런 결론을 내렸다.

단언하건대 일본 국민 가운데 한반도가 남북으로 갈라져 있다는 사실을 아는 사람은 절반 정도밖에 되지 않는다. 한국 사람들에게 이런 이야기를 하면 '그럴 리가 있나' 하며 좀처럼 믿으려 들지 않지만, 내가 확인한 바로는 분명한 사실이다.

이것은 한국이 그만큼 보잘것없는 나라라는 뜻도 아니고, 그렇다고 일본 사람들이 그만큼 무식하다는 뜻도 아니다. 일본 사람들에게 한국이라는 나라는 중국이나 태국, 필리핀이나 멕시코 같은 또 하나의 외국일 뿐이다. 특별한 애정이나 증오의 감정이 없다는 말이다. 가족 가운데 누군가 한국과 관련된 일을 하거나 한일 양국의 역사적 교류 등을 전문적으로 연구하는 학자가 아닌 이상, 한국이라는 나라가 실제 자신의 생활과 밀접하지 않은 사람들은 그저 무관심할 뿐이다.

그러나 한국 사람들이 일본이라는 나라를 생각하는 감정은 절대로 그렇지 않다. 하다못해 축구 시합을 해도 다른 나라한테는 져도 괜찮지만 일본한테는 절대로 져서는 안 된다고 핏대를 올린다. 물론 내가 일본 사람이라고 해서 그런 한국 사람들의 심리를 이해하지 못하는 것은 아니다.

나는 어지간하면 한국의 대중교통 수단을 이용하지 않는다. 불편해서가 아니다. 한국의 교통 문제와 시민 의식에 대해 거품을 물고 비난하면서 정작 나 자신은 항상 자가용만 이용하는 이중인격자기 때문도 아니다.

내가 한국에서 대중교통 수단을 이용하지 않는 것은 혹시라도 일본 사람이라는 것을 알면 나하고 같은 버스, 같은 지하철을 타고 있다는 사실만으로도 불쾌감을 느낄 한국 사람이 있을지도 모른다는 생각 때문이다.

여담이지만 한국에서 나만큼 영광스러운 대접을 받은 일본 사람은 없을 것이라고 생각한다. 3 · 1운동 때 민족 대표 33인 가운데 이갑성 선생이라는 분이 있는데, 나는 세 번이나 그분 생신 때 초대받았기 때문이다.

물론 그분이 특별히 나를 사랑해서 초대한 것은 아니다. 마침 내가 그분 사위하고 절친한 사이였고, 그분이 일본 어묵을 좋아하셔서 선물하기 위해 찾아갔을 뿐이다. 하지만 어쨌거나 그분 살아 생전에 그 집 현관문을 들어가 본 일본 사람은 나 빼고는 아무도 없다. 더구나 그분은 이미 세상을 떠나셨으니 앞으로도 아무도 없을 것이 확실하다. 독립투사의 집에 초대를 받았다는 그 사실 하나만으로도 대한민국이 나에게 훈장을 준 것이나 다를 바 없다고 나는 믿고 있다.

그런데 이갑성 선생은 일본 사람들에게 손톱 발톱 스무 개를 뽑히는 고문을 당한 분이다. 같은 일본 사람인 내가 생각해도 정말 너무하다는 탄식이 나오지 않을 수 없다.

한국에는 일본 사람들에게 그에 못지않은 수모와 고통을 당한 분이 많다. 그런 분들의 후손이 지하철을 탔는데 자기 옆자리에 일본 사람이 앉은 것을 알면 그날 하루 밥맛이 좋을 리가 있겠는가. 나는 그런 이유로 대중교통 수단을 이용하지 않는다. 본의 아니게 주변 사람에게 피해를 주지 않을까 신경을 쓰는 것이다.

그러나 한편으로는 그런 것까지 신경을 곤두세워야 하는 현실이 참으로 안타깝다는 생각도 든다. 일본 사람들이 과거에 못할 짓을 많이 한 것은 분명한 사실이다. 내가 일본 사람을 대표해서 변명을 늘어놓을 처지는 아니지만 여기서 한 가지 생각해 볼 문제가 있다.

당시 일본은 전쟁을 치르고 있었다. 전쟁은 본래 사람을 미치게 만든다. 멀쩡하던 사람도 전쟁이 나면 평소와 판이한 행동을 한다. 역사상 단 한 번도 다른 나라를 침략한 적이 없다는 한국 사람들도 베트남 전쟁 때에는 완전히 다른 모습을 보여 주었다. 지금도 베트남에 가 한국에서 산다고 말하면 눈물을 글썽이며 "제발 우리 아버지 좀 찾아 주세요" 하고 매달리는 사람들이 있다.

일본이 한국을 침략했을 무렵은 전세계적으로 힘있는 나라가 그렇지 못한 나라를 정복하는 제국주의가 판을 치는 세상이었다. 입장을 바꿔 놓고 생각해서 그때 한국이 강대국이고 일본이 약소국이었다면 한국이 일본을 침략하지 않았으리라는 보장은 어디에도 없다.

무슨 이야기가 하고 싶은가 하면 한국 사람들이 일본에 필요 이상으로 반감을 가질 필요가 없다는 말이다. 앞서 말한 것처럼 일본 사람은 한국이라는 나라에 특별한 관심이 없는데, 괜히 한국 사람들만 원한에 사무쳐서 이를 갈아 보아야 무슨 소용이 있겠는가?

이것은 지나간 역사는 과거 일이니까 깨끗이 묻어 두자는 이야기도 아니고, 과거에 일본 사람들이 나쁜 짓을 한 것은 어쩔 수 없는 상황 때문이니까 너그럽게 용서해야 한다는 이야기도 아니다. 또한 가해자는 자기 행동을 쉽게 잊어버릴 수 있어도 피해를 당한 사람은 두고두고 한을 품게 된다는 사실을 모르는 바도 아니다.

오히려 나 자신은 한국 사람들이 일본이라는 나라에 뿌리깊은 반감을 가지고 있는 것을 어느 정도는 이해한다. 당장 나부터도 내 아버지가 한국 사람한테 손톱 발톱 스무 개를 남김 없이 뽑혔다면 치가 떨릴 것이다.

그렇다고 해서 한국과 일본이 서로 등을 돌린 채 언제까지나 원수지간으로 남아 있기에는 역사적으로나 지리적으로나 두 나라 사이 거리가 너무 가깝다. 이것이 엄연한 현실이다. 한국으로서는 과거의 아픔을 잊지 않는 것과는 별개로 현실적으로 일본을 충분히 이용하지 않으면 안 된다.

그런 점에서 지난번 프랑스 월드컵 아시아 지역 최종 예선 때 나타난 두 나라 사이의 미묘한 감정 변화는 무척 인상적이었다. 다들 기억이 생생하겠지만 홈 앤드 어웨이 방식에 따라 일본에서 벌어진 1차전 때 한국은 믿기지 않는 역전승을 거두었다. 그 후에도 승승장구해 일찌감치 본선 진출권을 손에 쥔 다음에 서울에서 일본과 2차전을 벌이게 되었다. 반면 일본은 그때까지 부진을 거듭하며 본선 진출을 확정하지 못한 상태였으므로 반드시 한국을 이겨야 하는 절박한 상황이었다.

한국 대표 팀과 언론은 한국이 본선 진출을 확정지었다고 해서 일본에 최선을 다하지 않는 일은 절대 없어야 한다고 다짐에 다짐을 했지만, 한국 국민 사이에는 이왕 이렇게 된 것 일본한테 한번쯤 기회를 주는 것도 나쁘지는 않다는 분위기가 만만치 않았다. 비록 일본에서 온 응원단이 내건 것이기는 하지만, 잠실운동장 스탠드에 나타난 '같이 가자'는 슬로건에 그런 분위기가 집약되지 않았나 싶다.

어쩌면 당시 한국 국민에게서 이번만은 일본한테 져도 괜찮다는 분위기를 느낀 것은 나 혼자뿐이었는지도 모른다. 설령 그런 분위기가 실제로 있었다고 해도 위기에 처한 약자를 동정하는 가진 자 특유의 여유일 뿐 일본에 대한 한국 사람들의 반감이 누그러졌음을 의미하는 것은 결코 아닐 터다.

그러나 나는 그렇기 때문에 더욱더 희망이 있다고 생각한다. 한국이 강해지고 잘살게 되면 일본에 대한 한국 사람의 피해 의식도 사라질 수 있다는 반증이기 때문이다.

결론적으로 말하면 한국과 일본 사이의 해묵은 앙금을 씻을 수 있는 방법은 한국이 일본 못지않게 잘사는 것뿐이다. 내가 한국을 떠나지 못하는 것은 한국이 그런 단계에 도달하기까지 미약하나마 내 힘을 바치고 싶기 때문이다.

30년 뒤에 수입해도 늦지 않다

나는 앞으로 30년 후쯤 일본의 대중문화가 들어와야 큰 문제가 생기지 않을 거라고 생각한다. 일본 인기 연예인들의 브로마이드를 가지고 있는 지금의 한국 중고생, 그 아이들이 어른이 되어 중고생 자녀를 둘 무렵이면 일본 문화를 전면적으로 개방해도 괜찮다는 뜻이다.

일본 대중문화가 본격적으로 한국에 수입될 모양이다. 일본 영화가 한국 극장에서 상영되기 시작한 걸 보면 말이다. 물론 개방한다고 하루아침에 일본 대중문화가 한꺼번에 들이닥치지는 않을 테지만, 시간상으로 따지자면 나는 앞으로 30년 후쯤 일본의 대중문화가 들어와야 큰 문제가 생기지 않을 거라고 생각한다. 물론 한국 문화 수준이 일본보다 30년 이상 뒤떨어져 있다는 의미가 아니다. 그럼 뭐냐?

30년이라는 세월은 보통 한 세대가 지나가고 다음 세대가 도래하는 데까지 걸리는 시간을 일컫는다. 다시 말해서 (어디서 구했는지는 모르지만) 일본 인기 연예인들의 브로마이드를 가지고 있는 지금의 한국 중고생, 그 아이들이 어른이 되어 중고생 자녀를 둘 무렵이면 일본 문화를 전면적으로 개방해도 괜찮다는 뜻이다.

내가 1964년에 일본 청소년 지도자의 일원으로 유럽을 둘러보러 갔을 때였다. 우리 일본 촌놈 일행은 북유럽 여러 나라에 공공연히 콘돔 자동판매기가 설치되어 있는 것을 보고 벌어진 입을 다물지 못했다. 그런가 하면 서점에서 벌거벗은 여자들의 사진을 담은 책과 잡지가 지천으로 널려 있는 것을 보고는 얼굴이 벌겋게 달아오르기도 했다.

그러나 그보다 더욱 충격적인 것은 한창 사춘기에 달해 성적 호기심이 왕성한 북유럽 청소년들이 그런 잡지책을 대수롭지 않게 생각한다는 점이었다. 집에 가서 몰래 보는지 어떤지 몰라도 그들은 아예 그런 것에 관심이 없어 보였다.

그로부터 30여 년이 지난 지금 일본을 보면 당시 우리가 느낀 혼란을 어느 정도는 이해할 수 있다. 지금 일본 사회에서는 이른바 '헤어 누드'가 용인되고 있다. 사회적으로 용인이 된다는 것은 곧 뿌옇게 모자이크 처리된 '그 부분'에 엄청난 무언가가 있을 거라는 환상이 깨진다는 의미고, 환상이 깨지고 나면 관심 또한 멀어지는 것은 당연한 일이다.

그러나 여기에는 함정이 있다. 경제적으로 잘사는 선진국 국민이라고 해서 성 혹은 섹스를 싫어한다는 법은 없다. 섹스를 좋아한다고 해서 미개한 국민이 아니라는 이야기다. 오히려 성폭력 사건은 미개한 나라보다 선진국에서 더 많이 발생한다. 포르노를 드러내 놓고 볼 수 있느냐, 숨어서 봐야 하느냐는 것이 문화 수준의 차이라고 말할 사람은 아무도 없다. 이제 앞에서 한국과 일본 사이의 문화 수준 차이가 30년이 아니라고 한 말뜻을 이해할 수 있을지 모르겠다.

어느 나라, 어느 사회에나 저질스러운 문화가 있다(저질스러운 것과 고급스러운 것을 무엇으로 구분할 것인가 하는 문제까지는 언급할 자신이 없지만). 그런데 저질스러운 문화가 존재한다는 사실 자체는 나름대로 의미하는 바가 있다. 저질스러워서 사람들이 혐오하면 금방 없어져야 마땅한데도 꿋꿋이 살아 남아 있는 것이다.

여기에는 두 가지 의미가 있다. 첫째, 고급스러운 것을 찾아서 즐길 여유가 없는 사람들이 저질 문화를 즐긴다. 둘째, 저질스러운 것은 저질스러운 대로 재미가 있다. 저질스러우면서 재미까지 없으면 아무도 찾는 사람이 없을 테니까.

일본에서는 공공연하게 스트립 쇼가 공연되고, 손님들이 그 쇼에 등장한 여자들과 '연애'도 할 수 있다. 그러나 그런 것을 즐기는 계층은 따로 있다. 정상적인 사회 생활을 하는 사람들은 그런 것에 별로 관심을 두지 않는다.

한국 역시 마찬가지다. 지금은 당국에서 공개적으로 못하게 규제하니까 '도대체 뭘까?' 하는 호기심을 보이지만, 몇 번 보고 나면 건전한 상식을 가진 사람들은 '별것 아니군' 하면서 돌아서 버린다.

뜻있는 사람들이 일본 문화가 전면적으로 한국에 수입되는 것을 걱정하는 이유는 다른 곳에 있다. 오늘날 문화는 문화 자체로서 가치보다도 상품으로서 가치가 훨씬 더 크다. '문화 상품'이라는 복합 명사의 무게 중심은 압도적으로 뒤쪽에 실려 있다는 뜻이다.

사람들이 먹고 사는 데 별로 걱정이 없어진 사회에서는 이런 문화 상품이 극단적인 방향으로 발전한다. 어떻게 하면 더 짜릿한 것, 더 기발한 것, 더 화끈한 것을 만들 수 있을까 고민하는 사람들이 많은 탓이다. 이런 나라에서 개발된 문화 상품은 당장 먹고사는 문제에서 벗어난 지 얼마 되지 않는 사람들이 만들어 놓은 문화 상품과는 비교할 수 없을 만큼 경쟁력이 있다.

결론적으로 말하면 일본 대중문화가 한국에 들어오면 순수하게 문화적인 피해보다 문화를 둘러싼 각종 산업이 치명적인 피해를 당하게 된다는 것이다. 예를 들어 일본의 카세트 테이프와 한국의 카세트 테이프를 들어 보면 거기에 담겨 있는 내용은 둘째치고 일단 소리의 질이 다르다. 그것은 누구도 부정할 수 없다.

이 글을 쓰는 동안 만난 한국의 몇몇 신문 기자에게 카메라 기자들이 한국산 카메라를 사용하는지 물어 보았다. '거의 없다'는 대답이 돌아왔다. 내가 보기엔 '거의' 없는 게 아니라 '전혀' 없을 것 같다. 방송국에서 사용하는 촬영 기자재 역시 일본 제품 일색이다. 이런 식으로 '하드웨어' 자체에서 차이가 나는 것은 어쩔 수가 없다. 기술을 개발하고, 인식을 바꾸기 위해서는 시간이 필요하다.

또한 자본력도 무시할 수 없는 요인이다. 쉽게 말해서 100원 가진 사람하고 1천 원 가진 사람은 쉽사리 경쟁이 이루어지지 않는다. 물론 여기서 말하는 1천 원 가진 사람은 일본의 문화 산업 업자들이다. 자칫하다가는 압도적인 자본력과 기술력을 앞세운 일본의 문화 상품 때문에 한국의 문화 관련 산업이 전멸할 우려가 있다.

일본 방송인지, 한국 방송인지……

퀴즈나 오락 프로그램은 무심코 보고 있으면 일본 방송인지 한국 방송인지 잘 분간이 가지 않을 정도다. 특히 뉴스 프로그램은 일본 NHK 방식으로 포맷이 '통일'되어 있다시피 하다. NHK가 뉴스 포맷을 바꾸고 나서 한 달 가량 지나면 어느새 한국에서도 똑같이 바뀌어 있다.

일본 문화 개방과 관련해 또 한 가지 걱정되는 것이 바로 영화다. 영화에 비하면 음악이나 문학 같은 분야는 아무것도 아니다. 그만큼 영화는 모든 분야를 아우르는 '종합 예술'이고, 대중적인 파급력도 크다.

그런데 문제는 일본 영화에 잔인한 장면이 많다는 점이다. 그건 내가 봐도 틀림없는 사실이다. 예를 들어 한국 영화에서는 사람이 죽을 때 입가에 피를 약간 흘린다고 하면, 일본 영화에서는 분수처럼 솟구치는 식이다.

실제로 일본에서는 심심찮게 '엽기적인' 살인 사건이 발생한다. 토막 살인에다 인육을 먹었다는 둥 듣기에도 소름끼치는 뉴스가 보도된다. 물론 신문에 보도되는 살인 사건을 보면 이 점에서는 한국도 결코 뒤지지 않는다. 한국에서도 잔인한 살인 사건은 얼마든지 찾아볼 수 있다.

이것은 한국과 일본 중에 어느 나라가 더 잔인한가 따져 보자는 이야기가 아니다. 어느 사회에나 잔인한 폭력성을 보이는 사람들은 있게 마련이므로 그런 이야기는 백날 해 봐야 하나도 소용이 없다. 그러나 일본 영화는 실제로 하나밖에 잔인하지 않은 것을 열 개 정도 잔인한 것으로 만든다. 어차피 영화는 허구고, 이왕이면 좀더 강렬하게 사람들의 시선을 붙잡아 둘 필요가 있기 때문이다.

예를 들어 칼에는 날이 휜 것과 똑바른 것이 있다. 휜 칼날을 휘둘러 사람을 '베어' 죽이기 위해서는 최소한 실력이 검도 5단 이상이어야 한다. 실제로 야쿠자들이 사람을 죽일 때 날이 똑바른 칼을 쓴다. 그것으로 사람을 '찔러' 죽이는 것이다.

그런데도 영화를 보면 사무라이 한 사람이 휜 칼로 악당 수십 명을 처치한다. 그 과정에서 살점이 떨어져 나가고 피가 솟구치는 모습 따위가 생생하게 묘사되는데, 모두 영화이기 때문에 가능한 일이다. 할리우드나 홍콩 영화에 익숙한 한국 관객들이 그 정도는 감당할 거라고 생각하는 사람들도 있지만, 그렇게 간단하게 넘길 문제가 아니다. 자칫하면 한국 사람들은 "역시 일본 놈들은 잔인하다!"고 인식하게 될 것이기 때문이다.

원래 나쁜 인상, 나쁜 소문은 좋은 인상, 좋은 소문보다 빨리 퍼지게 마련이다. 일본 통치 시절에 교육을 받은 한국 사람들 중에 더러는 일본인 교사에게서 참 좋은 교육을 받았다고 말한다. 나에게 일본에 가면 옛날에 자기를 가르쳐 준 일본인 교사의 소식을 좀 알아봐 달라고 부탁하기도 한다. 그런데도 한국 국민의 뇌리에 그 시절 일본인 교사들은 하나같이 "조센징 바카야로!"를 외치며 조선 학생들을 차별하고 억압하는 못된 사람으로 각인되어 있다.

영화 역시 마찬가지다. 영화를 통해 일본 사람들의 잔인성을 확인했다고 생각하는 사람들은 그것이 일본 국민성이라고 믿어 버릴 가능성이 높다. 거기에다 옛날 일본 제국주의가 저지른 온갖 만행까지 떠올리면 그런 국민성은 틀림없는 사실로 굳어져 버린다.

한국과 일본 두 나라의 젊은 층 사이에는 서로에게 적대적인 감정이 별로 없는 것 같다. 요즈음 한국 중고등학생치고 일본 연예인 브로마이드 한 장쯤 가지지 않은 아이가 거의 없듯이 개방되기 전에 이미 영화든 노래든 어느 정도는 익숙해져 있었다. 어린 아이들이 즐겨 보는 텔레비전 만화영화나 중고등학생들이 많이 보는 만화책에서 일본 만화가 차지하는 비중을 생각하면 이미 두 나라 젊은이의 문화적 이질감은 그리 크지 않다고 짐작할 수 있다.

그렇다고 한국 젊은이들이 일방적으로 일본의 영향을 받는 것은 아니다. 일본의 신세대 역시 각 분야의 한국인 스타들을 엄청나게 좋아한다. 일본의 프로 야구나 축구에서 활동하는 한국인 선수들 중에는 말 그대로 일본 젊은이들의 '우상'이라 할 수 있는 사람들이 있다.

한번은 나고야에 볼 일이 있어서 비행기를 탔는데, 공항에 내리니까 인파가 구름처럼 몰려 도저히 걸음을 옮길 수가 없었다. 누군지 모르지만 엄청난 거물이 왔나 보다 생각했는데, 알고 보니 주니치에서 활동하는 이종범 선수가 나하고 같은 비행기를 탄 모양이었다.

나는 깜짝 놀랐다. 일본에서 이종범 선수가 그 정도로 폭발적인 인기를 누리고 있는 줄은 정말 몰랐다. 한국에서도 그 정도는 아닌데. 일본에서는 '나고야의 태양'이라는 선동렬 선수보다 이종범 선수의 인기가 더 높다. 선동렬 선수는 잠깐잠깐 나오는, 그것도 재수가 없으면 며칠씩 등판 기회조차 잡지 못하는 마무리 투수지만, 이종범 선수는 풀 게임을 뛰는 야수기 때문이다.

운동 선수뿐만 아니다. 김연자 같은 가수는 일본에서 따라올 사람이 없을 정도로 독보적인 인기를 누리고 있다. 같은 한국 사람이 김연자를 칭찬하면 으레 하는 소린가 보다 하겠지만, 일본 사람인 내가 이렇게 말하면 "그게 정말이냐?"고 되묻는 사람이 많다. 정말이다. 김연자 씨의 인기는 정말 대단하다. 얼굴도 예쁘고 노래 솜씨도 일품이다. 단연 최고다.

일본 NHK에서는 매년 12월 31일에 대형 음악제를 방송한다. 한 해를 통틀어 최고 시청률을 기록할 정도로 일본에서는 인기가 높은 프로그램이다. 스물네 명의 가수가 출연하는데, 일본 가수들은 이 프로그램에 참여하기 위해 치열한 로비까지 벌인다. 여기에 한번 나가면 그 다음부터는 대우가 달라진다.

지금까지 이 프로그램에 외국인 가수가 등장한 경우는 한 번도 없다. 세계적으로 아무리 엄청난 인기를 누리는 팝 가수라 해도 이 프로그램만은 난공불락이다. 단, 예외가 있다면 한국 가수들이다. 조용필, 김연자, 계은숙 등 해마다 두어 명씩은 꼭 이 무대에 선다. 그 가수들이 한국 사람이기 때문에 특별 대우를 받는 것이 아니라 콧대 높은 NHK에서도 그들이 그만큼 인기를 누리니까 할 수 없이 무대에 세우는 것이다.

방송 이야기가 나왔으니까 하는 이야기인데 텔레비전을 보고 있으면 한국과 일본 프로그램이 무척 비슷하다는 것을 금방 알 수 있다. 퀴즈나 오락 프로그램은 무심코 보고 있으면 일본 방송인지 한국 방송인지 잘 분간이 가지 않을 정도다. 특히 뉴스 프로그램은 일본 NHK 방식으로 포맷이 '통일'되어 있다시피 하다. NHK가 뉴스 포맷을 바꾸고 나서 한 달 가량 지나면 어느새 한국에서도 똑같이 바뀌어 있다.

이것은 굳이 좋다 나쁘다 따질 문제가 아닌 것 같다. 한국의 방송국 사정을 감안하면 어쩔 수가 없겠구나 하는 생각이 들기 때문이다. 한국의 어느 방송국에 친동생처럼 아끼는 기자가 한 사람 있다. 그런데 나는 그 친구를 그렇게 좋아하는데도 좀처럼 만날 수가 없다. 너무 바쁘기 때문이다.

그는 지금 사회 고발 프로그램을 맡고 있는데, 여러 기자가 한 달에 한 번씩 번갈아 가며 취재를 하는 모양이다. 무슨 일이 있어도 한 달에 한 편 프로그램을 만들어야 하니 나 같은 사람을 만나서 노닥거릴 짬이 없다. 저렇게 바빠서 어떻게 살까 안쓰러울 정도다.

비슷한 일을 하는 일본 방송 기자를 만나면 전혀 딴판이다. 얼른 봐서는 기자인지 한량인지 구분이 안 간다. 그럴 수밖에 없는 것이 일본 방송 기자는 일년에 한 편만 제대로 취재하면 된다. 물론 일본 기자가 한국 기자보다 12분의 1밖에 능력이 없어서 그런 게 아니다. 일본 기자는 한 편을 만들더라도 역사적 고증에서 과학적 분석에 이르기까지 온갖 정성을 기울인다. 말 그대로 '작품'

을 만드는 것이다.

이런 식으로 인력과 장비, 예산 등 모든 면에서 차이가 있으니 한국 방송사가 일본의 프로그램을 모방하는 것도 무리는 아니다. 한편으로는 한국 방송사 PD들의 고충도 이해가 된다. 한쪽에서는 '시청률'이라는 잣대를 든 채 눈을 부릅뜨고 있는데 돈과 인력과 시간은 태부족이다. 결국 뭐 좋은 아이디어가 없을까 하면서 일본 방송을 본다. 하도 보다 보니 무슨 영감이 떠올라도 자기 아이디어인지 일본 방송에서 본 것인지 헛갈려 버린다.

텔레비전뿐만 아니라 음악이나 문학도 마찬가지다. 수많은 표절 시비 중에는 정말로 나쁜 마음을 먹고 남의 작품을 베낀 경우도 있겠지만, 대부분은 앞에서 이야기한 것처럼 일상적으로 젖어 있다 보니 내 것인지 남의 것인지 구분하기가 힘들어져 버린 경우일 것이다.

이유야 어떠하건 한국과 일본 사이에는 스포츠와 대중 문화에서 이미 벽이 허물어지고 있다. 그런 판국에 '잔인성'으로 무장한 일본 영화가 한국에 상륙하는 것은 두 나라 국민 감정에 조금도 도움이 되지 않는다.

결국 내가 하고 싶은 이야기는 개방을 하되 철저하게 심사하고 통제해서 단계적으로 풀어 나가야 한다는 말이다. 나는 이미 오래 전에 일본의 돈 많은 종합상사를 찾아가 일본 영화의 한국 내 판권을 모조리 사 버리라고 권유한 적이 있다. 또 한동안은 한국의 유력한 인사들을 만날 때마다 회사를 만들든 단체를 만들든 어떻게 해서라도 일본 영화를 모두 사들이라고 권유하고 다녔다.

그도 저도 다 실패로 돌아가서 지금은 한국 업자들이 상당수 일본 영화를 경쟁적으로 사들이는 모양이다. 그래서 영화진흥공사 관계자들을 만날 때마다 당신들이라도 정신 똑바로 차려야 한다고 '협박' 을 한다. 한국이든 일본이든 '돈 냄새' 를 좇는 장사꾼의 민감한 코는 당할 수가 없다. 안방에서 건넛방 가듯 일본과 한국 사이를 들락거리는 나도 미처 모르던 아이템을 어느새 한국 사람들이 팔아먹고 있다.

'가깝고도 먼 나라' 라는 말이 있듯이 언뜻 봐서 한국과 일본은 모든 면에서 비슷한 점이 많아 보인다. 그러나 역사가 다르고 문화가 다른 만큼 그 이면에는 근본적인 사고방식의 차이가 분명히 존재한다. 이 모든 것을 무시하고 돈벌이에만 급급한 일부 업자의 양식에 일본 문화 수입을 맡긴다면 손해보는 것은 결국 한국이다.

한국과 일본은 100년 차이?

솔직히 말해 지금 한국과 일본의 차이는 100년이라는 것이 내 생각이다. 더욱 나쁜 것은 그 격차가 날이 갈수록 점점 좁아지기는커녕 더 벌어지고 있다는 사실이다.

한국 사람들이 가장 많이 하는 질문이 있다.

"언제쯤 한국이 일본을 따라잡을 것 같습니까?"

그때마다 나는 이렇게 되묻는다.

"한국이 일본의 무엇을 따라잡는단 말입니까?"

상대는 잠시 난처한 기색을 보이다가 이내 전열을 가다듬고 다시 질문한다.

"한국 경제가 언제쯤이면 일본을 따라잡을 수 있겠느냐는 말입니다."

조금 짓궂기는 하지만 나는 그 질문도 그냥 받아넘기고 싶지 않다.

"아니, 한국 경제가 무엇 때문에 일본을 따라간단 말입니까?"

한국 경제가 일본을 따라갈 필요는 없다. 따라간다고 일본이 따라잡힐 거라는 보장도 없다. 어차피 한국과 일본은 가야 할 길이 다르다. 누가 누구를 따라잡는다는 것은 앞선 사람이 가만히 멈추어 있거나 퇴보할 때 또는 쫓는 사람이 앞선 사람보다 월등히 빠른 속도로 달려갈 때에만 가능하다.

물론 나에게 그런 질문을 던지는 사람들이 무엇을 궁금해 하는지 모르는 것은 아니다. 따라서 거두절미하고 이렇게 대답할 수도 있다.

"아, 예전에는 한국과 일본의 격차가 30년 정도 되었습니다. 그런데 지금은 한국 사람들이 열심히 노력한 결과 10년 정도로 차이가 좁아졌습니다. 앞으로 10년만 더 허리띠를 졸라매면 충분히 일본을 따라잡을 수 있습니다."

미안하지만 솔직히 말해 지금 한국과 일본의 차이는 100년이라는 것이 내 생각이다. 더욱 나쁜 것은 그 격차가 날이 갈수록 점점 좁아지기는커녕 더 벌어지고 있다는 사실이다. 따라서 두 나라 사이의 격차가 100년이라는 말은 지금부터라도 한국 사람들이 정신 바짝 차리고 죽을 힘을 다해 앞으로 달린다는 전제 아래에서 하는 이야기일 뿐, 그러지 않으면 영원히 따라잡지 못한다는 뜻도 된다.

거북과 토끼가 달리기를 해서 거북이 이기는 이야기는 우화에나 나오지 현실에서는 좀처럼 일어나지 않는 일이다. 토끼가 낮잠 자며 게으름을 피운다면 그런 결과가 나올 수 있겠지만, 낮잠 자는 쪽이 토끼가 아니라 거북이라면 아무리 귀신 같은 재주를 가진 작가라도 거북이 토끼한테 이기는 우화를 지어 낼 수 없다.

나는 한국과 일본 사이의 격차를 단순히 일인당 국민소득이니

GNP니 하는 경제력의 차이만 염두에 두고 계산해서는 안 된다고 생각한다. 한국 사람들이 안으로 정말 인간다운 삶을 누리고 밖으로는 당당히 세계를 주도해 나갈 역량을 갖추기 위해서는 근본적인 도덕과 질서가 바로잡히지 않으면 안 된다.

그런 전제 조건이 완성되지 않는 한 경제적으로 아무리 부자가 되어도 사상누각일 뿐이다. 개인으로 비유하면 돈이 많은 사람이 반드시 행복하고 가치 있는 삶을 누리는 것은 아닌 것과 마찬가지다.

계속 같은 말을 되풀이하지만 근본적인 도덕과 질서가 바로잡히기 위해서는 뭐니뭐니 해도 가정 교육이 제대로 이루어져야 한다. 그런데 내가 보기에 현재 한국의 젊은 어머니들에게는 자녀에게 제대로 된 가정 교육을 시킬 만한 의지와 능력이 없다.

그렇다면 지금 어린아이들이 자라서 자녀 교육을 시키게 될 무렵, 그들이 정신을 바짝 차리고 제대로 교육을 시킨다면 그제서야 비로소 한국 사람들이 첫 단추를 꿰는 셈이 된다. 그렇게 올바로 가정교육을 받은 아이들이 자라서 사회 생활에 뛰어들면 그때부터 한국은 본격적인 성장과 발전의 단계로 접어들 수 있다. 거기에 필요한 시간을 내 나름대로 100년이라고 계산한 것이다.

그러나 어디까지나 일본이라는 나라를 옆에 놓고 비교 대상으로 삼았을 때의 이야기다. 하지만 일본은 결코 한국의 모델이 될 수 없다. 지금 일본은 얼른 보기에 세계 최고의 경제대국으로서 물질적 풍요를 누리며 아무 걱정 없이 잘사는 나라 같지만, 그 속을 들여다보면 나름대로 심각한 문제점을 안고 있다.

내 생각에 일본의 가장 큰 걱정거리는 '희망'이 없다는 점이다.

경제 대국이라는 목표를 향해 온 국민이 열심히 노력하던 시절은 지났다. 이미 그 목표가 달성되어 버리고 난 지금은 무엇을 향해서, 어디로 가야 할지 모르는 채 나라 전체가 극심한 무력증에 빠진 느낌이다. 세상에 희망이 없다는 것처럼 더 무서운 저주가 어디에 있겠는가.

한국 사람들은 언제쯤 일본을 따라잡을 수 있을까 하는 조바심으로 허둥거릴 필요가 없다. 일본을 따라잡겠다는 이야기는 다시 말해서 지금 일본이 앓고 있는 '희망 상실증'에 빠져들겠다는 이야기와 다름없다.

다가오는 미래는 다양성의 시대다. 누군가의 말처럼 카오스의 시대요 퍼지의 시대가 될지도 모른다. 한국은 일본을 모델로 삼을 것이 아니라 한국 나름대로 목표를 세우고 그 목표를 달성하기 위해 앞으로 나아가야 한다.

그러나 아무리 다양성이 중요하다 하더라도 그 모든 것을 관통하는 기본적인 줄기는 있어야 한다. 카오스의 진정한 의미는 완벽한 무질서 그 자체가 아니라 그 속 어딘가에 깃들인 또 다른 질서인 것이다.

국민의 정부에 바라는 4가지

'국민의 정부'가 출범하고 난 이후에도 공직자들의 비리 사건은 여기저기서 끊이지 않고 불거지고 있다. 이 악순환의 고리를 끊지 않는 한 한국은 절대로 지금 위기에서 벗어날 수 없다. 설령 벗어난다 하더라도 언제 또다시 위기가 닥쳐올지 모르는 위태로운 상황이 계속될 것이다.

이 글을 써야 하나 말아야 하나 한참 망설였다. 나로서는 '국민의 정부에 바란다'는 제목으로 희망 사항을 피력할 뿐이지만, 듣는 사람 입장에서는 자격도 없는 사람이 건방진 충고를 늘어놓는다고 받아들일 수도 있으니 말이다.

어느 나라 사람이든 조국을 떠나 외국 땅에서 오래 생활하다 보면 자신도 모르는 사이에 하나의 철칙을 터득하게 된다. 다른 것은 다 괜찮지만 자기가 살고 있는 나라의 정치에 대해서만은 절대로 언급하지 않는 것이 신상에 이롭다는 것이 그것이다.

나도 예외가 아니다. 실제로 나는 한국의 정치계 인사들을 만나서 주제넘게 나서다가 "남의 나라 내정에 간섭하지 말라"는 경고(?)를 들은 적도 여러 차례 된다.

나는 한 사람의 경제인일 뿐이다. 한국이나 일본의 재계를 한

손에 쥐고 흔들 만큼 막강한 힘을 지녔다면 모르지만, 일개 로비스트에 지나지 않는 나에게 그런 힘이 있을 리 없다. 다시 말해 나는 한국의 내정에 간섭할 자격도, 능력도 없는 사람이라는 뜻이다.

이렇게 거창하게 서두를 시작하니까 대단한 이야기라도 할 모양이라고 생각할지 모르지만, 꼭 그런 것도 아니다. 지극히 상식적인 선에서 몇 가지 느낀 것을 언급하려 한다.

첫째, 무슨 일이 있어도 공직자의 부정 부패는 뿌리뽑아야 한다.

전세계 어디에서나 집권에 성공한 정치인은 국민을 상대로 제일 먼저 '부정 부패를 추방하겠다' 고 약속한다. 그러나 이 약속을 철두철미하게 지키는 지도자는 그리 많지 않다. 약속을 지키지 못하는 가장 큰 이유는 지도자 자신이 어떤 형태로든 비리에 연루되어 있기 때문이다.

다행히도 한국의 김대중 대통령은 이 부분에 대해 자신감을 가질 수 있는 입장이다. 대통령이 앞장 서서 '부정 부패 척결' 이라는 구호를 내세운다고 국민이 '당신부터 제대로 하시오!' 하면서 등을 돌리지는 않을 거라는 이야기다.

하지만 유감스럽게도 '국민의 정부' 가 출범하고 난 이후에도 공직자들의 비리 사건은 여기저기서 끊이지 않고 불거지고 있다. 이 악순환의 고리를 끊지 않는 한 한국은 절대로 지금 위기에서 벗어날 수 없다. 설령 벗어난다 하더라도 언제 또다시 위기가 닥쳐올지 모르는 위태로운 상황이 계속될 것이다.

둘째, 질서 회복에 국가적인 역량을 기울여야 한다.

한국 사람들은 만성이 되어서 잘 느끼지 못할지도 모르지만 한국 사회의 질서 붕괴 현상은 위험 수위에 달해 있다. 자동차를 타고 길거리를 다녀 보면 과연 이 나라가 법치 국가인가 의구심이 생길 정도다.

지금 한국 사람들은 온통 구조조정이다 빅 딜이다 하는 거대한 문제에만 촉각을 곤두세우고 있어서 질서 이야기를 꺼내면 한가한 소리 하지 말라는 핀잔을 들을지도 모르겠다. 그러나 기초 질서를 확립하는 것이 경제 문제보다 더 중요하다는 인식이 선행되어야 한다. 질서가 무너지면 나라 전체가 무너진다.

셋째, 교육 제도를 과감하게 정비해야 한다.

대한민국은 풍부한 인적 자원이 밑천의 전부라고 해도 과언이 아닌 나라다. 그러나 지금의 교육 제도는 처음부터 끝까지 대학에 합격하는 방법만 가르치고 있다. 대학은 대학대로 거대한 '예비 실업자 양성소'로 전락해 버렸다. IMF 위기가 닥치기 전에도 대졸 실업자가 해마다 늘어나고 있었다는 사실을 잊으면 안 된다.

교육 개혁은 물론 하루아침에 이루어지는 문제가 아니다. 그러나 국민의 정부는 최소한 바람직한 교육 개혁의 방향만이라도 확고부동하게 잡아 놓아야 한다. 다음 정권이 들어서도 여전히 '교육은 백년대계'라는 말을 읊조리며 처음부터 다시 시작하게 해서는 안 된다.

넷째, 장기적인 안목을 갖추고 일을 추진해야 한다.

새해를 불과 한 달 남짓 앞두고 신정 연휴를 하루로 줄이겠다는 방침이 발표되었다. 하루를 쉬든 사흘을 쉬든 중요한 것은 그게 아니다. 그런 문제를 한 달 전에 발표한다는 것은 아무리 좋게 생각하려고 애써도 좀처럼 이해되지 않는다. 당장 달력을 만드는 업체들이 큰 손해를 보게 되었다고 하는데, 갑작스런 방침으로 타격을 입을 사람들이 어찌 달력 생산 업체뿐이겠는가.

인사 문제도 마찬가지다. 새로 공기업의 운영을 책임지게 된 인물이 텔레비전에 나와서 원대한 포부를 밝힌 적이 있다. 앞으로 몇 년 안에 그 기업을 세계적인 수준으로 끌어올리겠다는 내용이었다.

한데 그러고 나서 얼마 지나지 않아 그는 장관으로 입각해 버렸다. 그럴 수밖에 없는 내막이 있는지 그것까지 알지는 못하지만, 결과적으로 약속을 어긴 그 장관을 국민이 얼마나 믿고 따라 줄지 염려스럽다.

내가 이 글을 쓰는 지금은 국민의 정부가 출범한 지 채 1년도 되지 않았다. 적어도 내 느낌으로는 한국 국민이 이전과 비교해서 무언가 크게 달라졌다고 생각하지는 않는 듯하다. 물론 국민의 기대가 너무 컸기 때문이기도 하고, 워낙 어려운 시기라서 미처 능력을 발휘할 여지가 없었을 수도 있다.

나 개인적으로는 한국 정부가 당면한 경제 위기에 대처하는 데 급급한 나머지 기초 질서를 확립하는 노력에는 소홀하다는 느낌을 지울 수 없다. 물론 지금은 경제 위기를 극복하기 위해 온 나라가 똘똘 뭉쳐야 할 시기임에 틀림없지만, 다른 한편으로는 작은 것처럼 보이는 부분에도 누군가는 신경을 써야 한다.

그래도 한국의 미래가 밝은 이유

분명한 목표가 설정되고 자발적인 동기만 유발되면 엄청난 위력을 발휘하는 것이 한국 사람들의 가장 큰 장점이다. 아주 작고 사소한 일부터 하나하나 실천에 옮기면 한국은 분명 지금과 전혀 다른 모습으로 21세기를 열어 갈 것이다.

지금까지 한국에서 26년 동안 살아오면서 느낀 점을 나름대로 적어 보았다. 경우에 따라 짧은 식견 탓에 내가 잘못 알고서 부당하게 비판한 부분도 있을 것이고, 일본 사람이라는 한계에서 비롯된 편견이나 몰이해 탓에 엉뚱한 소리를 한 부분도 분명 있을 것이다. 독자 여러분의 너그러운 양해를 바란다.

나는 내 능력 여하를 불문하고 가급적 느낀 그대로 솔직하게 적어 보려고 애썼다. 대부분은 한국 사람들도 익히 알고 있는 내용일 것이다. 그러나 같은 지적이라도 외국 사람의 입을 통해 들어보면 약간은 참신한 느낌이 들 수도 있고, 한국 사람들이 미처 생각하지 못한 부분을 한두 가지라도 건질 수 있었으면 좋겠다는 바람으로 여기까지 왔다.

물론 부질없는 기우에 지나지 않겠지만, 만의 하나라도 "일본 사람한테 이런 소리까지 들어야 하다니, 우린 역시 형편없는 민족인가 보다"라고 생각하는 독자가 있을까 염려스럽다. 하지만 사실은 그렇지 않다. 한국 사람에게는 또 책을 한 권 쓸 정도로 장점이 많다. 지금과 같은 위기 상황에서는 장점을 칭찬하는 것보다 단점을 지적해 주는 것이 더 시급하다는 생각에 결국 이런 책까지 쓰게 되었지만 마지막으로 한국 사람들이 가지고 있는 장점, 나아가 한국의 미래가 밝을 수밖에 없는 이유를 몇 가지만 꼽아 보려 한다.

첫째, 한국 사람들은 머리가 좋다.

그저 입에 발린 소리라고 생각할지 모르지만 틀림없는 사실이다. 간단한 예로 한국의 프로 기사들이 전세계 바둑계를 석권하다시피 하는 것만 봐도 한국 사람들이 얼마나 머리가 좋은지 알 수 있다.

그러나 가만히 보면 한국 사람들은 머리가 좋아 지식은 아주 풍부한데, 지혜는 별로 없다는 느낌을 받을 때가 많다. 지식이 많은 것과 지혜가 많은 것은 전혀 다른 문제다. 예를 들어 명문대학 법대를 나와서 고시를 통과하고 판검사까지 지낸 고위 공직자가 그린벨트 지역 안에 번듯하게 집을 지어 놓고 산다면 그 사람은 지식은 많을지 모르지만 지혜가 없는 사람이다.

나 자신 한국에서 학교에 다녀 본 적도 없고 자식을 한국 학교에 보내 본 적도 없는 사람이 이런 이야기를 할 자격이 있는지 모르지만, 한국의 학교는 지혜를 가르치기보다 지식을 가르치는 데 치중하는 것 같다. 이것은 교육자들이 잘못하고 있다고 그들만 몰아붙일 일이 아니다. 능력 여하를 불문하고 대학 졸업자, 그것도 명문 대학교 졸업자일수록 우대받는 사회 풍토 속에서는 어쩔 수 없는 일인지도 모른다.

한 시간 공부를 하면 한 시간은 생각하는 시간을 가져야 한다. 그래야 그 지식이 자기 것으로 소화되고, 지식이 완전히 소화되어야 비로소 지혜가 생긴다. 그런 과정을 무시하거나 생략하면 자기가 공부한 것하고 조금만 다른 문제에 부딪혀도 지식이 응용되지 않는다.

한국의 학교에서 이루어지는 교육은 학생의 머리 속에 지식을 집어넣는 것이 전부다. 제대로 된 교육이라면 지식을 입력(input)시키는 것도 중요하지만, 어떻게 출력(output)할 것인가 가르치는 일도 똑같이 중요하게 다루어야 한다. 한국의 교육에는 인풋만 있고 아웃풋이 없다.

이런 문제점 때문에 한국 사람들은 뛰어난 머리를 제대로 활용하지 못하는 느낌이 든다. 입시 위주의 암기식 교육에 익숙하다 보니 기억력 하나는 대단한 편이지만, 그보다 훨씬 더 중요한 것은 창의력이다.

뜨겁다 못해 폭발적이기까지 한 한국 사람들의 교육열은 어떤 나라도 따라오지 못할 엄청난 잠재력을 내포하고 있다. 그 열기의 방향이 조금 어긋나 있는 것이 문제일 뿐, 무엇을 어떻게 가르쳐야 할 것인가라는 기본적인 방향만 확립되면 한국의 학교는 세계에서 가장 유능한 인재들을 무더기로 배출할 것이다.

둘째, 한국 사람들은 인정이 많다.

용서해서는 안 될 것을 용서하는 것은 진정한 인정이 아니다. 그 때문에 비롯되는 폐해에 대해서는 앞에서 여러 차례 언급했다.

그러나 그런 것말고 한국 사회에는 아직도 서구의 합리주의라는 잣대로 좀처럼 이해하기 힘든 훈훈한 인간미가 살아 있다.

특히 부모를 공경하는 한국 사람들의 지극한 효심이야말로 많은 외국인이 부러워하는 덕목이다. 자기 부모를 공경할 줄 아는 사람은 남의 부모도 공경할 수 있는 자질을 갖춘 사람이다.

제사를 지내는 풍습 역시 마찬가지다. 세월이 흐를수록 제사에 담긴 원래 뜻이 점점 퇴색하고 형식만 남는 듯한 느낌이 없지는 않지만, 명절 때마다 부모 형제를 찾고 차례를 지내기 위해 민족 전체가 고난의 여정을 마다지 않는 것을 보면 정말 대단하다는 생각이 든다. 정작 한국 사람들은 습관적으로 제사를 지내고 차례를 지낼 뿐 대수롭지 않게 생각할지 모르지만, 그런 행사를 통해 오늘의 나를 있게 해 준 조상의 은혜를 되새긴다는 것은 교육적인 측면에서도 대단히 바람직한 일이다.

아쉬운 것은 한국 사람들의 인정이 어떤 식으로든 자기 자신과 관계를 맺고 있는 정해진 범주 안에서만 효력을 발휘하는 점이다. 그 범주를 벗어나면 냉정하기 이를 데 없는 이중적인 모습이 나타나기도 한다. 한국 사람들이 자기 가족을 생각하는 것처럼 남을 끔찍하게 위해 준다면, 그 범주를 점점 넓혀 나간다면 세계에서 가장 존경받는 민족으로 성장할 것이다.

셋째, 한국 사람들은 뭐든지 빨리 해치운다.

흔히 외국인이 한국에 와서 가장 먼저 배우는 말이 '빨리빨리'라고 한다. 매사에 여유가 없고 지나치게 서두르는 것이 한국 사람의 대표적인 단점이라고 지적하는 사람도 많다. 그러나 꼭 그렇게만 볼 수 있는 문제가 아니다.

똑같은 일을 1년 만에 해치우는 사람하고 2년이 걸려도 끝내지 못하는 사람을 비교한다면 1년 만에 해내는 사람이 훨씬 나은 것은 새삼 말할 필요도 없다. 물론 여기에는 단서가 붙는다. 1년 만에 해치웠다고 실컷 자랑해 놓고 나중에 문제가 생겨서 뜯어고치느라 2년이 더 걸린다면 오히려 더 손해기 때문이다.

한국에서 다리가 부서지고 건물이 무너지는 대형 사고가 유난히 자주 일어나는 이유를 이른바 '빨리빨리 병'에서 찾는 사람이 많지만 나는 그렇게 생각하지 않는다. 속도가 빠르다고 해서 반드시 내용이 부실하다는 법은 없기 때문이다.

한국에서 부실 공사가 많은 이유는 급하게 서둘러서가 아니라 비리가 개입되기 때문이다. 부정과 비리를 근절하지 않는 한 아무리 여유를 두고 침착하게 일을 진행한다 해도 부실은 사라지지 않을 것이다. 한국 사람들의 부지런한 성격과 왕성한 의욕에 비리만 개입되지 않는다면 남들이 2, 3년이 걸려도 못 해낼 일을 한국 사람은 1년 만에 해치울 수 있다.

이 밖에도 한국 사람들에게는 장점이 많다. 장점과 단점은 동전의 양면과도 같아서 살짝 뒤집어 보면 치명적인 약점으로 생각되던 것이 오히려 누구도 따라올 수 없는 장점으로 둔갑하기도 한다.

예부터 한국 사람들은 평소에는 모래알처럼 흩어져 있다가도 국난을 만나면 똘똘 뭉쳐서 위기를 헤쳐 나가는 저력을 발휘해 왔다. 분명한 목표가 설정되고 자발적인 동기만 유발되면 엄청난 위력을 발휘하는 것이 한국 사람들의 가장 큰 장점이다.

뒤집어 말하면 그러한 동기가 유발되지 않는 한 한국 사람들은 자기 능력을 절반도 발휘하지 못한 채 한없는 침체의 늪으로 빠져든다는 의미기도 하다. 내가 보기에 현재 한국은 그런 상황에 처해 있다. 아주 작고 사소한 일부터 하나하나 실천에 옮기면 한국은 분명 지금과 전혀 다른 모습으로 21세기를 열어 갈 것이다.

에필로그

내가 이 책을 쓴 진짜 이유

얼마 전까지 나는 1년에 150회 이상 골프를 쳤다. 거의 이틀에 한 번 꼴이다. 그런데 나에게는 한국 골프장 회원권이 없다. 회원권도 없이 이틀에 한 번씩 골프를 친다고 하면 사람들은 믿지 않는다.

웃기는 일이지만 회원권을 몇 개씩이나 가진 일본 기업체의 한국 주재원들이 나한테 골프장 부킹을 부탁할 정도다. 일본 사람뿐만 아니라 내로라 하는 한국의 기업체 임원들도 주말이나 연휴 때처럼 골프장이 붐벼서 부킹이 잘 되지 않을 때에는 어김없이 나한테 부탁을 해 온다. 왜냐하면 골프장 사장들과 친한 터라 내가 부탁하면 어지간해서는 거절하지 않기 때문이다.

어쩌다 그렇게 되었는지는 나도 잘 모른다. 워낙 골프를 좋아해서 자주 치다 보니 아마추어치고는 제법이라는 소리를 들을 정도로 실력을 갖추게 되어 골프장 직원들 눈에 띄었는지 모르겠다. 또 내가 외국인이라는 사실도 특별 대우를 받는 이유인 것 같다.

나는 또 한국의 연예인, 특히 영화 배우를 많이 알고 지낸다. 물론 지금은 나이 들어 '원로' 취급을 받고 활동이 뜸한 친구들이지만, 이름만 대면 누구나 알 만한 배우들하고 친하게 어울린다. 덕분에 영화인들의 연말 송년회나 대종상 시상식 같은 중요한 행사에도 초대받아 참석한다.

연예계말고 경찰 등 정보 계통에도 친구가 많다. 그 때문에 난처한 부탁을 받는 적도 있다. 교통사고를 일으켰으니 해결해 달라며 전화를 걸어 오는 것이다. 다른 부탁이라면 몰라도 이것만은 절대로 들어 주지 않는다. 들어 주려야 들어 줄 수가 없다. 아무리 다급한 상황이라 해도 일본 사람인 내가 교통사고 낸 친구를 돕는답시고 경찰서에 전화하면, 부탁할 데가 그렇게 없어서 일본 사람한테 부탁했냐며 오히려 내 친구를 우습게 생각하지 않겠는가.

좋아하는 골프도 실컷 치고, 유명하고 능력 있는 친구도 많고…… 내가 한국에서 분에 넘치는 호강을 누리고 있는 것만은 사실이다. 이것이 내가 한국을 떠나지 못하는 이유 가운데 하나일지 모른다. 그러나 분명히 그것이 전부는 아니다.

내 아버지는 운명하기 직전 "부산에 가고 싶다"는 유언을 남겼다. 딱히 유언이라기보다는 정신이 혼미한 상태에서 혼자말처럼, 신음처럼 중

얼거린 말씀이었다. 이상하게도 그 말씀이 내 가슴에 와 닿았다. 도대체 부산에 뭐가 있기에…….

아버지가 돌아가신 후 나는 일본 중의원의 안도 가쿠 의원의 비서로 들어갔다. 그분은 한일회담 당시 한일협력특별위원회 위원장을 지냈는데 이때부터 한국과 나의 인연이 시작된 셈이다. 당시 한국을 몇 차례 오가기는 했지만 그때까지도 부산에는 못 가 보았다.

비서관 생활을 하다가 나는 정치계에 뛰어들기로 마음먹고 1963년부터 세 번이나 중의원 선거에 출마했다가 번번이 떨어지고 말았다. 딱 세 번 떨어지고 나서 내 능력의 한계를 절감하고 깨끗이 미련을 접어 버렸다.

그 무렵 문득 아버지가 떠올랐다. 아버지가 남긴 말씀과 함께. 그래서 아무 생각도 계획도 없이 무작정 한국에 와서 부산으로 갔다. 아버지가 졸업한 부산상고 교정에도 가 보았다. 거기에 아버지의 흔적이 있을 리 없었다. 그러나 그때 한국이라는 나라에서 무언가 내가 해야 할 일이 있다는 느낌을 받았다. 그 후 지금까지 나는 일본의 자금과 기술을 들여와 한국의 기간산업을 일으키는 일에 관련을 맺어 오고 있다.

한국에서 내 직업은 '로비스트'라고 할 수 있다. 요즈음에는 특히 한국의 지방자치단체에서 일본의 쓰레기 소각장 기술과 자본을 도입할 때 양쪽 입장을 조율하는 일을 많이 한다.

흔히 '로비스트' 하면 뒷돈, 리베이트, 부정, 뇌물 따위의 부정적인 측면을 떠올린다. 많은 사람이 내가 한국에서 로비스트로 활동하면서 적지 않은 돈을 벌 거라고 짐작하기도 한다. 그렇지 않다면 굳이 한국 땅에 붙어 있을 이유가 있겠는가 하면서.

한국 사람의 부탁을 받고 일본을 비롯한 전세계를 오가며 일을 추진할 때 필요한 경비는 물론 부탁한 사람에게서 받아 쓴다. 나는 비행기를 탈 때 가급적 1등석을 이용한다. 밥을 먹을 때에도 고급 음식점을 즐겨 찾는다. 차라리 굶으면 굶었지 대충 배를 채우지는 않겠다는 것이 내 신념이다. 이틀 정도 굶는 일은 나한테는 아무것도 아니다.

그러다 보니 경비로 받아 쓰는 돈이 많아 보일지도 모른다. 그러나 나는 지금까지 한국 사람에게서 부탁을 받아 일해 준 대가로 돈을 받아 본 적이 한 번도 없다. 아니, 딱 한 번 있다. 이 책을 쓰기로 하면서 출판사에서 받은 계약금, 그것이 내가 26년 동안 한국에서 어떤 일을 한 대가로 받은 돈의 전부다.

KBS「일요 스페셜」 취재 팀이 나를 밀착 취재한 끝에 '나밖에 모르는 한국인' 이라는 제목으로 방송이 나간 뒤였다. 방송국에서 취재에 협조해 준 대가로 사례를 하겠다며 은행 계좌번호를 가르쳐 달라는 연락이 왔다. 얼마냐고 했더니 10만 원을 주겠다는 것이다. 나는 그럴 필요 없다고, 오히려 하고 싶은 이야기를 할 수 있게 해 주었으니 내가 사례를 해야 할 판이라고 극구 사양했다. 하지만 방송국에서는 규정이 그렇게 되어 있기 때문에 돈을 꼭 주어야 한다고 난처해 했다. 그래서 나는 이렇게 말했다.

"정 그렇다면 돈을 보내세요. 대신 그 10만 원에다 내가 지금 수중에 가지고 있는 20만 원을 보태서 30만 원을 도로 보낼 테니까 고아원이든 양로원이든 꼭 필요한 곳에 기부해 주세요."

10만 원이라는 액수가 적어서 그런 것이 결코 아니다. 세상에는 내가 수고해서 어떤 일을 했을 때 대가를 받아야 할 일이 있고 받지 말아야 할 일이 있다. 나흘씩이나 취재를 당한 것이 나로서는 여간 수고스러운 일이 아니었지만 내 돈을 써서라도 하고 싶은 이야기를 공중파 방송에서, 그것도 일요일 황금 시간대에 내보내 주었으니 사례를 받아야 할 일이 아니라고 생각한 것뿐이다.

이런 이야기까지 해도 내가 돈을 벌기 위해 한국에 붙어 있다고 생각하는 사람들은 여전히 의구심을 풀지 않는다. 그래서 가끔 이렇게 묻는다.

"대단히 죄송하지만 재산이 얼마나 되는지 물어 보아도 되겠습니까?"

얼마든지 물어 보아도 된다. 대답할 수 있으니까. 내가 가진 재산은 제로다. 지금 살고 있는 성남시 아파트의 전세 보증금도 엄밀히 말하면 내 돈이 아니다. 그 돈이 누구 것인지까지 밝힐 계제는 아니지만 알 만한 사람은 다 안다. 재산을 굳이 따지자면 몇 년 전에 한국을 아주 떠날 때가 되었다는 생각이 들어서 일본에 마련해 둔 전셋집 한 칸, 그 집의 보증금이 내 재산의 전부다.

글쎄, 이런 이야기까지 할 필요가 있는지 모르겠지만 나는 돈이라는 걸 쟁여 놓고 살 필요성을 느끼지 못한다. 돈이 있다고 무덤까지 가지고 갈 것도 아니고, 유산을 물려줄 사람도 없다. 일본인 전처와의 사이에 자식이 있기는 하지만 유산을 물려주고 싶다는 생각을 해 본 적은 없다.

내 아버지 역시 마찬가지였다. 독실한 불교 신자던 아버지는 살아 생전에 기회 있을 때마다 장남인 나한테 유산을 물려주지 않겠다고 말씀하셨다. 나는 그런 아버지에게 아무런 불만이 없었고 지금까지도 마찬가지다. 물론 아버지가 세상을 떠나고 난 뒤 재산을 전부 자선 단체에 기부했다는 것을 알았을 때 조금 서운한 느낌이 없지 않았지만, 어차피 아버지 돈은 아버지 돈이니까 내가 서운한 감정을 느낀다고 해서 달라질 것이 하나도 없었다.

어떤 사람은 노후에 대비해서 조금은 비축해 두어야 하지 않겠느냐고 충고 아닌 충고를 하기도 한다. 하지만 나한테는 해당 사항이 없는 이야기다. 내 나이 예순넷, 이미 살아야 할 나이가 훨씬 지났다. 새삼스럽게 노후니 뭐니 이야기하는 것이 우습다.

내가 와세다 대학을 졸업하고 신문 기자 생활에 한창 재미를 붙이고 있을 때였다. 어느 날 아버지에게서 연락이 왔다. 당신이 내년에 세상을 떠날 테니까 집으로 들어오라는 것이었다. 특별히 아픈 데도 없고 정정하기만 한 아버지가 내년에 돌아가신다니, 나는 그 말을 믿을 수가 없었다. 더욱이 프로 야구 담당 기자로 활동하며 매일같이 일류 스타들과 어울려 지내던 나는 그 생활을 포기할 마음이 전혀 없었다.

그러나 아버지의 간곡한 부탁을 끝내 뿌리칠 수 없어 신문사에 사표를 던지고 집으로 돌아갔는데, 그로부터 석 달 후 아버지는 거짓말처럼 세상을 떠났다. 향년 60세였다.

그날 나는 한 가지 결심을 했다. 내 할아버지는 59세에 세상을 떠났고 아버지는 60세에 돌아가셨다. 그렇다면 나는 61세에 죽는다. 아니, 61세에 죽어야 한다.

이성적으로 생각하면 말이 안 되는 소리지만, 그 후 40년 가까운 세월 동안 나는 예순하나가 정해진 내 수명이라고 생각하면서 살아왔다. 그래서 50대 후반부터는 몇 되지 않는 내 인생의 인연을 하나하나 정리하기 위해 무던히도 애를 썼다.

그러나 예순하나를 넘기고 예순두 번째 생일을 맞이하게 된 순간 나는 크게 실망했다. 그리고 당혹스러웠다. 할아버지가 돌아가셨고 아버지도 가셨는데 왜 나는 가지 못하는 걸까.

그런데 그때부터 몸에 이상이 생기기 시작했다. 그 사실을 처음 깨달은 것은 골프장에서였다. 힘찬 드라이브 샷을 날릴 때의 짜릿한 쾌감은 평소와 다름이 없었다. 그러나 공이 떨어졌을 거라고 생각한 곳에 가서 아무리 찾아봐도 공이 보이지 않았다. 한참을 헤맨 끝에 전혀 엉뚱한 곳에서 내가 친 공을 발견했다.

처음에는 뭐 그럴 수도 있겠거니 생각했다. 그러나 번번이 내가 의도한 곳으로 공이 날아가지 않는 일이 일어났다. 평소 핸디 3으로 공인받던 골프 실력이었는데, 규정 타수에서 무려 20타 가까이 더 쳐야 하는 사태가 벌어졌다.

아무래도 시력에 문제가 생긴 것 같아서 안경을 맞추러 갔다. 시력 검사를 하던 안경사가 눈을 동그랗게 뜨고 물었다.

"한쪽 눈이 안 보이는 것 아닙니까?"

그제서야 나는 깜짝 놀라서 안과를 찾아갔다. 검사 결과 왼쪽 눈이 실명 직전이라는 진단이 나왔다. 백내장이라는 것이다. 그래도 나는 걱정하지 않았다. 요즈음에는 의학이 발달해서 백내장 정도는 얼마든지 치료가 가능하기 때문이다.

그런데 문제는 그렇게 간단하지 않았다. 일본에 있는 유명한 안과를 찾아가 레이저 수술까지 받았는데도 백내장 중에서도 특별한 경우여서 근본적인 치료가 불가능하다는 것이었다. 그래서 나는 까짓 것 어차피 눈은 두 개니까 한쪽 눈이 안 보인다 한들 상관없다고 생각했다. 하지만 의사는 나머지 한쪽 눈도 언제 나빠질지 장담할 수 없다고 했다. 어쨌거나 아직까지 오른쪽 눈은 멀쩡하니 다행이다.

눈이 말썽을 일으킨 뒤부터 팔, 다리, 어깨, 허리…… 내 몸 어느 한 구석 아프지 않은 데가 없었다. 몇 달 사이에 20킬로그램 가까이 체중이 빠지고 한밤중에 잠을 깰 정도로 통증이 심한데도 정작 검사를 받아 보면 의사들은 하나같이 아무런 이상이 없다고 말했다.

“아니, 나는 아파서 죽을 지경인데 이상이 없다고 하면 어떡합니까?”

“몇십 년 동안 고통 속에 살아가는 사람도 많은데 그 정도 아픈 것 가지고 뭘 그러세요?”

최첨단 의료 시설을 갖춘 병원의 내로라 하는 의사들과 그런 실랑이를 벌이는 것도 지칠 무렵이었다. 누군가 서양 의학으로 치료되지 않는 병을 동양 의학으로 고칠 수도 있다고 충고했다. 그때부터 중국, 일본, 한국에서 용하다는 기공사, 한의사, 물리치료사 들을 찾아다니기 시작했다. 확실히 동양 의학이 서양 의학보다 효과가 있기는 있는 모양이다. 그 사람들을 찾아가 치료를 받으면 그 순간만은 통증을 잊을 수 있었다. 하지만 그때뿐으로 또다시 통증에 시달려야 했다.

내가 여기저기 아프다고 했더니 친구들이 저마다 몸에 좋다는 보약을 지어서 찾아왔다. 성의를 무시할 수도 없는데다 정말로 효과가 있을지 모른다는 한 가닥 기대를 품고 나는 그 약을 남김 없이 먹어 치웠다. 그랬더니 이제는 당뇨가 생겨서 음식도 마음대로 먹지 못하는 신세가 되고 말았다. 결국 지금은 포기하고 아프면 아픈 대로 참고 산다.

나는 아파트 10층에 산다. 매일 저녁 불 꺼진 아파트를 찾아 들어가면서, 한밤중에 온몸을 파고드는 고통을 참지 못해 벌떡벌떡 몸을 일으키면서 저 베란다 문으로 곧장 걸어 나가면 한순간에 모든 것이 끝난다는 생각을 할 때가 한두 번이 아니다.

내가 '맞아 죽을' 각오를 하고 이 책을 쓰는 것은 나름대로 계산이 있기 때문이다. 한편으로는 한국 사람들이 귀에 거슬리는 소리 좀 듣는다고 설마 나를 때려 죽이기야 하겠냐 하는 생각, 다른 한편으로는 정말로 누군가에게 맞아 죽기라도 하면 차라리 좋겠다는 생각…….

이 책을 썼다는 이유로 불상사를 당한다면 어느 정도는 그런 사실이 세상에 알려질 것이다. 그렇게 해서 한국 사람들이 자기 자신의 모습을 한 번 더 돌아보는 계기가 된다면 나에게는 어떤 미련도 후회도 없다.

다행인지 불행인지 모르지만 시사 월간지에 내 기사가 실리고 난 뒤 집으로 날아온 편지 하나가 내 마음을 한결 가볍게 해 주었다. 현역 육군 장성이 보내 온 편지를 여기에 소개하면서 그분께 고마운 마음을 함께 전한다.

안녕하십니까?

'맞아죽을 각오를 하고' 썼다는 선생의 글 「나라는 무법 천지, 국민은 염치가 없다」를 잘 읽었습니다.

'일본은 망할 수 없는 나라'고 '한국은 내일이 없는 사회'라고 꼬집은 대목에서는 분노를, '예의와 염치를 모르고 교통 법규를 지키지 않는 민족'에서는 수치를, '자녀 교육을 잘 못하고 위선과 명분에 집착하고 있는 지식인들'에서는 책임을 통감하였고, 마지막 '21세기를 앞둔 한국인에 대한 충고'에서는 당신의 우정을 느꼈습니다.

저는 52세의 직업군인입니다.

선생께 이 글을 보내는 까닭은 저에게 자신과 주변을 돌이켜보는 반성의 기회가 되었기 때문이고, 선생께는 죽을 각오까지 해야 할 만큼 한국 친구들이 몰상식하지 않다는 점을 알려 주기 위해서입니다.

마지막으로 한국인에 대한 선생의 용기 있는 우정에 격려를 보내며, 건강을 기원합니다.

추천의 글

나는 성남시의 쓰레기 처리 사업을 추진하면서 이케하라 씨를 자주 만났다. 그는 이 사업에서 일본 기술 도입을 주선해 주는 역할을 했다. 저자의 책에서도 자주 거론되는 우리나라 쓰레기 처리 문제를 두고, 외국인인 그로서는 도저히 이해 못할 불합리투성이인 제도와 관행, 도처에 부정이 잠복하고 있는 관료사회, 제대로 알지도 못하면서 큰소리만 치며 수주쟁탈에 광적인 기업들의 틈바구니에서 그가 나름대로 열정을 쏟아부으면서 가장 합리적으로 일을 성사시키려고 노력하던 것을 기억한다.

그가 이번에 출판하기로 한 원고를 훑어보면서, 한때 이 사람이 혹시 일본의 거간꾼이 아닌가 하고 의심의 눈길을 준 일이 생각났다. 하지만 당시 그의 우려와 충고는 모두 나름대로의 진실에서 우러나왔다는 것을 알게 되었다. 책 제목처럼 맞아죽을 각오를 하고 쓴 그의 용기와 한국에 대한 애정을 다시금 확인할 수 있었다.

내가 해외에서 외국 기업과 경쟁할 때 그 상대가 일본 회사일 경우가 많다. 그럴 때마다 이케하라 씨의 말처럼 나 자신도 일본에 대한 뿌리 깊은 피해자 의식을 버려야 진정한 동반자 관계가 이루어진다고 주장해 왔다.

또한 일본을 따라잡는 길은, 일본이 약삭빠른 상인으로 우리에게 피해만 준다고 비방하고 폄하할 것이 아니라 우리 스스로 그가 이 책에서 잘 지적해 준 약점을 강점으로 승화시켜 잘살고 존경받는 국가가 되도록 노력하는 길이라는 그의 주장에 전적으로 동감한다.

저자 특유의 독설과 우리에게 익숙지 않은 기준의 주장으로 인해 가끔 울분과 자괴감이 치솟기도 했지만 글의 밑바닥에는 한국, 한국인에 대한 애정이 녹아 있음을 느낄 수 있었고, 우리나라의 발전을 진심으로 바라고 있음도 느낄 수 있었다.

내가 이번 저서를 통해 다시 한 번 이케하라 씨의 진면목을 찾아볼 수 있었듯이 이 책이 우리 사회가 당면한 현재의 어려움을 극복하고 재도약하는 데 한 계기가 되었으면 하는 바람이다. 그런 점에서 많은 한국인이 일독해 볼 만한 책으로 적극 추천하고 싶다.

1998년 12월
대림 엔지니어링 회장
김병진

맞아죽을 각오를 하고 쓴

한국 · 한국인 비판

초판 1쇄 발행/ 1999년 1월 2일

지은이/ 이케하라 마모루

발행인/ 유승삼
편집인/ 김진용
편집장/ 김태진
기획 · 진행/ 김태정
표지 · 본문 디자인/ 디자인 봄

펴낸 곳/ 중앙M&B
펴낸 곳의 주소/ 서울특별시 서대문구 미근동 267번지
편집팀 전화/ 360-6104
판매팀 전화/ 360-6207
찍은 곳/ 동양인쇄
등록/ 1997년 4월 28일 제 13-499호
값 7,000원

ISBN 89-8375-188-6

· 잘못된 책은 바꾸어 드립니다.

중앙 M&B 는 중앙 Multimedia, Magazines & Books를 줄인 말로
97년 3월에 출범한 중앙일보 출판법인입니다.

우 편 엽 서

보내는 사람

이름

자택 주소

자택 전화번호

□□□-□□□

우편요금
수취인후납부담

발송유효기간
1998.5.29-2000.5.28

서울서대문우체국
승인 제293호

받는 사람

서울특별시 서대문구 미근동 267번지
임광빌딩 9층
중앙일보 출판법인 중앙 M&B 교육문화팀

1 2 0 - 0 2 0

독자 카드

한국에서 26년 동안 살고 있는 일본인 이케하라 마모루 체험기 **『맞아죽을 각오를 하고 쓴 한국 · 한국인 비판』**을 구입해 주셔서 고맙습니다. 이 엽서를 작성하신 후 우체통에 넣어 주십시오. 독자 여러분들의 의견을 모아 보다 나은 책 만들기에 최선을 다하겠습니다.

●이 책을 어떻게 구입하시게 되었습니까?

1.신문광고(신문명:) 2.잡지광고(잡지명:)
3.서점에서(서점명:) 4.신문기사(신문명:)
5.주위의 권유( ) 6.TV를 보고( )
7.기타( )

●이 책을 읽으신 뒤의 느낌은?

1 제목	· 좋다	· 보통이다	· 불만이다
2 표지	· 좋다	· 보통이다	· 불만이다
3 편집	· 잘됐다	· 보통이다	· 불만이다
4 내용	· 재미있다	· 보통이다	· 불만이다

●현재 구독중인 신문이나 잡지는? ( )

●좋은 의견이 있으시면 적어 주십시오

●이름 (남 · 여) ●생년월일

●직업 ●전화

●주소

유리야!

너는 한국인이다

비록 일본인이 쓴 글이지만

한국인의 단점을 지적한 글이다

영국에 간지도 이제 여러 해.'

명심하고 아버지 어머니의

고마움을 간직하고 최선을 다해서

다음에 우리나라의 여성의 지도자로서

(어머니의 고모님 (김숙희) 이상으로

훌륭한 사람이 되어라.

하루를 놀면 그것을 만회하는데는

그만큼 걸린다.

타국에 가면 괴롭지만 성경도

고향 서적도 많이 읽으렴

1999년 새해 1. 5.

정 할아버지